LA GESTE DES FRANCS

LA GESTE
DES FRANCS

CHRONIQUE ANONYME DE LA PREMIÈRE CROISADE

Traduit du latin par Aude Matignon

arléa

Collection « Retour aux grands textes »
– Domaine latin –

ISSN 1157-3880
ISBN 2-86959-136-5
© Mai 1992 – Arléa

> « Toute pensée qui prend Dieu pour objet est en partie interrogative, qu'elle le sache ou non. »
>
> André Malraux : *Le Miroir des limbes*

C'est à l'approche de la Saint-Nicolas que le pape Urbain II appela tous les chrétiens valides à partir pour l'Asie afin de délivrer les Lieux saints. Il devait faire déjà bien froid dans le royaume de France, en proie à un désenchantement de fin de siècle. L'attrait de la chaleur a peut-être contribué confusément à certains départs : le pin du Nord de Henri Heine se mettait en marche vers « le beau palmier, là-bas, au pays du soleil ».

Mais des raisons plus graves – à vrai dire parfois contradictoires – ont déterminé cette levée en masse. Elle fut à la fois un « pèlerinage », selon l'expression favorite et rassurante des participants, et une expédition guerrière. Au cri risqué de « Dieu le veut ! » partit un peuple hétéroclite. Les uns étaient Francs de France, Français du Nord, Francs du Midi ; les autres, Allemands, ou

7

encore Italiens, Lombards du Nord ou Longobards du Sud. Il y avait les combattants, chevaliers ou « piétons », et les civils ; parmi ceux-ci, beaucoup d'enfants, des vieillards, des femmes enceintes. Certains chevauchèrent avec la détermination de se tailler un fief, d'autres usèrent leurs pieds à marcher pour échapper à la misère. Quelques-uns voulaient mourir pour le Christ, parce qu'il était mort pour eux. On dit qu'après le départ de l'expédition, les honnêtes gens restés chez eux respirèrent : tous les voleurs étaient partis !

Mais laissons un instant la parole à Michelet qui, peu suspect de bigoterie, a su saisir mieux que quiconque la grandeur de cet événement unique dans l'histoire humaine :

« Ce fut alors un spectacle extraordinaire et comme un renversement du monde. On vit subitement des hommes prendre en dégoût tout ce qu'ils avaient aimé. Leurs riches châteaux, leurs épouses, leurs enfants, ils avaient hâte de tout laisser là. [...]

« Le peuple partit sans rien attendre, laissant les princes délibérer, s'armer, se compter ; hommes de peu de foi ! Les petits ne s'inquiétaient de rien de tout cela : ils étaient sûrs d'un miracle. Dieu en refuserait-il un à la délivrance du Saint-Sépulcre ? »

Beaucoup moururent en chemin au terme de souffrances atroces. Pourtant, la première croisade a atteint son but : elle a arraché Jérusalem aux Turcs avec la majeure partie de l'Asie mineure dont elle a rendu quelques villes à l'em-

8

pereur de Byzance, Alexis Ier Comnène, et réservé les autres aux chefs francs qui avaient conduit l'expédition.

Lequel de nous serait parti ? Lequel resté ? Nous avons en tout cas presque tous un lointain ancêtre – baron ou plus souvent piéton – qui participa à l'aventure. Y sauva-t-il son âme, par sa piété ou ses exploits ? Pilla-t-il sans vergogne ? A-t-il mangé, décapité du Turc ? Nul ne le sait, sinon Dieu et Dieu seul, dirait l'auteur du récit qu'on va lire. Car Dieu est le Grand Narrateur.

Mais, dans sa parfaite mémoire et son ubiquité, Dieu n'est narrateur qu'en puissance. Il arrive que se lève un narrateur en acte de quelque portion de la « geste » humaine qui, lui, est toujours imparfait, même s'il a eu le privilège d'être témoin ou même acteur, comme c'est ici le cas, des faits qu'il raconte. Le récit de la première croisade qu'on va lire, traduit du latin, est le premier en date que nous possédions ; c'est l'œuvre d'un chevalier, sans doute italien, qui servait sous Bohémond, prince de Calabre et de Tarente. Il a gardé un anonymat discret de bâtisseur de cathédrale. Mais le « nous » et le « je » dont il use ne sauraient, dans un tel contexte, être procédé littéraire et nous permettent de le suivre à la trace. Sans doute s'est-il engagé dans la croisade en même temps que Bohémond, au sortir du siège d'Amalfi, et a-t-il participé avec lui à presque tous les combats qu'il raconte. Mais quand, à

9

Laodicée, après la prise d'Antioche, Bohémond refuse de continuer la route et retourne définitivement à Antioche – sa conquête –, notre chevalier fait passer le service de Dieu avant celui de son seigneur tant aimé et continue, fidèle, sur la voie du Saint-Sépulcre : on le trouve à l'attaque de Jérusalem dans les troupes de Godefroy de Bouillon.

Presque tout ce qu'il raconte, il l'a vu. Sans doute prenait-il des notes sous sa tente, le soir à l'étape, après avoir chevauché tout le jour sous une chaleur souvent accablante, et profitait-il des haltes entre les combats pour rédiger. Les « cinq mois et huit jours » de repos qui ont suivi le siège d'Antioche lui ont été précieux ; les trois quarts de son « reportage » – terme qui convient mal, on verra pourquoi – sont relatifs aux faits antérieurs à la prise d'Antioche. Ce qui est sûr, c'est que notre chevalier écrit au fil des événements : certaine de ses réflexions suppose inconnue l'issue de l'expédition.

Dans de telles conditions, on est mal placé pour faire du grand style, et l'Anonyme n'en a pas fait. Toutefois, il ne semble pas mériter le mépris courtois qui s'abat sur ses talents d'écrivain depuis que son contemporain et remanieur, Baudry de Bourgueil, évêque de Dol, a traité l'ouvrage de « petit livre rustique ». De nos jours encore, on trouve la même condescendance chez l'éminent médiéviste Louis Bréhier à qui le chevalier doit, en 1924, sa première traduction française, publiée à Paris, aux éditions des Belles-Lettres, dans la collection des « Classiques de l'*Histoire de France au Moyen Age* », sous le titre d'Histoire anonyme de la première croisade.

Il convient donc ici de procéder à une mise au point littéraire concernant la personnalité intellectuelle du chevalier et la composition du récit.

Dans sa préface, Louis Bréhier croit devoir retirer à l'Anonyme la paternité des morceaux de bravoure : ils seraient l'œuvre d'un clerc et auraient été ajoutés tardivement à la naïve rédaction primitive. Il s'agit de l'ouverture, consacrée à l'origine de la croisade ; de la mise en scène des trois chefs ennemis que sont Soliman, Courbaram et l'émir de Babylone (en fait, du Caire) ; de l'épisode de la fuite d'Étienne de Blois auprès de l'empereur Alexis ; de la description d'Antioche – que Louis Bréhier juge à la fois apocryphe et mal placée, et reporte à la fin de l'ouvrage.

Sur des soupçons sans preuve, celui-ci se trouve ainsi dépouillé de l'unité qu'une lecture sans prévention lui attribue. Il me paraît d'autant plus fâcheux de voir dans le début une adjonction tardive qu'il s'agit d'un passage historiquement incomplet, mais théologiquement très dense, qu'éclairent et confirment ensuite les multiples doxologies et autres professions de foi qui scandent la marche des pèlerins.

Que Soliman, Courbaram et l'émir de Babylone

11

tranchent sur les barons francs est incontestable mais ne prouve pas qu'ils ne soient pas décrits par la même main. L'Anonyme a plus d'art et de culture que ne lui en attribue Louis Bréhier : non seulement il possède les Saintes Écritures au point d'entrelacer tout son récit de citations scripturaires mais, curieusement, il est aussi frotté aux lettres antiques : un seul exemple, la comparaison homérique entre le connétable de Bohémond et un lion rugissant, devant Antioche, en février 1098. Pourquoi, dans ces conditions, l'auteur initial serait-il incapable de la veine satirique et burlesque, si typiquement médiévale, qui éclate pour notre amusement à propos des chefs turcs et arabes annonçant les fabliaux et Rabelais ? Il est vrai que Louis Bréhier est peu sensible à cette veine, au point de prendre au sérieux la question « hénaurme » de Courbaram à sa mère : « Bohémond et Tancrède mangent-ils bien deux mille vaches et quatre mille porcs par repas ? » Il s'agit à la fois de ridiculiser le Turc stupide et de montrer le prestige des chefs francs jusque sur l'ennemi. Louis Bréhier commente en ces termes : « Les chiffres donnés comme correspondant aux besoins des croisés seraient intéressants si l'on pouvait en prouver la véracité. » Le commentaire est à peine moins cocasse que le texte ; en contestera-t-on pour autant l'authenticité ?

Si les passages relatifs aux chefs ennemis contrastent avec le reste du récit, c'est sans doute que notre auteur unique n'avait eu avec eux aucun contact, n'avait pour eux aucune estime ; ailleurs, il veut faire œuvre de vérité ; l'hostilité guerrière le jette en pleine littérature.

Il semble encore plus fâcheux de retirer à l'ouvrage pri-mitif la description d'Antioche et de la reporter à la fin du livre. Cette description semble bien à sa place là où la mettent tous les manuscrits, ce qu'atteste à l'évidence la parfaite suture verbale entre la fin de cette description et la suite du récit : au « Nous nous reposâmes cinq mois et huit jours » qui clôt la description, répond, à la reprise du récit, « Cela écoulé » (exactement, « Cela accompli », le verbe « accomplir » s'employant couramment en latin au sens d'« écouler », à propos d'un laps de temps).

Cette place de la description d'Antioche est, n'en déplaise à Louis Bréhier, pleine de sens : de façon certes un peu insolite, elle s'insère entre le moment où les Francs s'arrachent à la ville et celui où Bohémond abandonne ses compagnons pour y retourner. Elle marque dans l'ex-pédition la fin d'une époque qui est, pour Bohémond et quelques autres, la fin même de la croisade : l'aède de La Chanson d'Antioche *ne s'y est pas trompé en limitant la première croisade à la conquête d'Antioche ; après tout, la quatrième croisade se limitera bien à la conquête de Constantinople.*

Comme de mémoire, le narrateur se retourne alors une dernière fois vers la cité aux quatre cent cinquante tours, avant de partir à l'assaut de la cité mystique, Jérusalem, que la terrestre Antioche a bien failli lui faire oublier en chemin : telle qu'elle est et à sa place, la description est un bel adieu discret – l'Anonyme est toujours discret – et à Antioche et à Bohémond, désormais prince d'Antioche ;

13

Bohémond le débrouillard, le rusé, le brutal, capable de mettre le feu à son propre camp pour le sortir de la léthargie, était l'âme sauvage de la croisade. Lui parti, ni le pieux et vaillant Godefroy, ni le vaillant et raffiné comte de Saint-Gilles ne le remplaceront. C'est cela qu'à sa place suggère, avec beaucoup de laconisme et d'art, la description d'Antioche.

C'est donc comme un tout continu et cohérent qu'il semble souhaitable de lire La Geste des Francs, exception faite peut-être de l'épisode d'Étienne de Blois, dont la rhétorique pleurarde est étrangère au reste de l'ouvrage ; il peut s'agir d'une addition destinée à aviver les haines contre l'empereur Alexis, qui se montre là poltron autant que perfide ; le passage daterait du retour de Bohémond en France ; après avoir épousé une fille du roi de France, il se décida alors à reprendre la lutte contre Byzance.

Ce tout continu que constitue donc La Geste des Francs est narratif, exception faite de quelques morceaux comme la description d'Antioche et l'éloge de la vaillance turque. Or, si l'on veut éviter de tomber dans l'admiration béate, il faut avouer ici que notre chevalier n'est pas toujours un bon conteur. Aux amateurs de faits historiques précis, on conseillera de doubler la lecture qui leur est proposée ici par celle des pp. 1-163 du tome I de l'Histoire des Croisades de René Grousset, Paris,

Perrin, 1991. L'absence de tout millésime contribue au désarroi du lecteur. Certes, la datation est abondante, mais c'est une datation à usage personnel, une datation de journal intime, en somme : « le 10 octobre », « à la Saint-Pierre-ès-liens »..., ces indications multipliées n'insèrent pas les faits relatés dans cette « histoire universelle » qui sera essentielle aux yeux de Bossuet, mais dont l'Anonyme ne pressent pas même l'existence. A cet égard, les chroniques en langue romane des siècles suivants constitueront un grand progrès : Villehardouin commence son récit « mil et cent et quatre-vinz et dix-sept ans après l'incarnation Notre Segnor Jesu Crist ».

Que le concile de Clermont ne soit pas même mentionné à propos de l'appel à la croisade, passe encore : c'est à l'aventure intérieure des croisés qu'il s'agit de nous intéresser, et à elle seule. Mais, une fois qu'ils sont en marche, au moins faudrait-il donner à comprendre ce qu'ils font. Tel n'est pas toujours le cas. Voici trois exemples d'une maladresse narrative qu'on ne tolérerait pas dans une rédaction d'école primaire : quand Bohémond quitte Amalfi pour se croiser, notre auteur note que le comte Roger resta tout triste. Qui est le comte Roger, se demande désespérément le lecteur novice ? Il aurait fallu commencer par dire que cet oncle de Bohémond commandait les assiégeants d'Amalfi ! Un autre jour, l'empereur Alexis, ce douteux allié des croisés, est présenté faisant raccompagner « l'ambassade » franque par l'un de ces officiers byzantins qu'on appelait des « curopalates ».

L'ennui est que rien n'a été dit au préalable sur l'envoi de cette ambassade. La désinvolture va plus loin encore quand Bohémond est dit partir un jour en expédition « dans la montagne de Tancrède », entendez par là « dans la montagne qu'occupera six mois plus tard Tancrède ».

Il y a une explication à de telles maladresses : l'Anonyme n'écrit certainement pas pour nous, ces lointains descendants « incrédules », qu'il aurait méprisés : très présente chez les grands écrivains grecs et latins, la notion de lointaine postérité lui est absolument étrangère. Il écrit visiblement pour ses compagnons d'armes qui, eux, ont connu le comte Roger et peuvent se souvenir de l'ambassade envoyée à Alexis par Bohémond et de l'occupation par Tancrède, au printemps 1098, d'un terrain au sud d'Antioche. Sa désinvolture narrative est celle que nous déployons à la table familiale pour raconter, par bribes allusives, des faits que tous les assistants connaissent dans leur totalité.

Sur un fait – et un seul, heureusement ! –, le cumul de la maladresse, de l'omission peut-être volontaire, et de l'erreur, aboutit à rendre les faits incompréhensibles : c'est à propos du serment d'allégeance que prêtèrent les chefs francs à l'empereur Alexis. Ce serment les obligeait à lui rendre, une fois qu'ils les auraient reconquises, les villes qui lui avaient appartenu avant leur occupation par les Turcs. Il s'agira avant tout d'Antioche.

Selon Albert d'Aix, autre chroniqueur de la croisade,

et selon la princesse *Anne Comnène*, fille et biographe de l'empereur, c'est Godefroy de Bouillon, arrivé le premier des princes à Constantinople, qui prêta serment le premier, suivi par l'ensemble des barons, en une cérémonie apparemment collective, enfin par Bohémond, qui avait pourtant juré ses grands dieux de ne pas céder et qui, si l'on en croit la princesse, se laissa acheter par les présents offerts : or, argent, vêtements de prix.

L'Anonyme, lui, commence par nier confusément la réalisation d'un projet collectif de serment des barons. Après quoi, il laisse deviner – sans le dire expressément – le serment de Bohémond ; mais il ne dit mot des monceaux d'or et présente cet acte de soumission comme obtenu en échange de la promesse faite par Alexis à Bohémond d'une terre « en arrière d'Antioche ». C'est évidemment moins déshonorant pour Bohémond ! Après quoi, au mépris de la cohérence, malgré sa dénégation initiale, notre auteur semble admettre que tous les chefs francs, sauf le comte de Saint-Gilles qui, paradoxalement, sera le seul respectueux des droits d'Alexis sur Antioche, ont prêté le fameux serment.

A coup sûr, l'officier de Bohémond qu'était notre auteur a eu honte de l'abaissement de son cher seigneur. Il se peut que, par ailleurs, il ait ignoré le serment de l'ensemble des barons, qui faisait d'eux de vulgaires mercenaires d'Alexis, ou presque, ce dont ils n'avaient pas motif d'être fiers, et qu'ils ont pu cacher à leurs hommes. Avoir participé à une aventure nuit parfois à la connaissance de cette aventure.

17

Si l'Anonyme n'est pas toujours clair, il l'est parfois, et pour notre plaisir. C'est le cas, par exemple, dans le récit enlevé de la chute d'Antioche – curieusement assez comparable, par la ruse qui s'y déploie, à la chute de l'antique Troie.

Il y a aussi une élégance consommée, digne du meilleur romancier, dans certains entrelacements d'épisodes : c'est ainsi que l'invention de la Sainte Lance se présente en deux temps, la vision de Pierre Barthélemy n'aboutissant à son dénouement qu'après une triple interruption, sur la famine, l'incendie allumé dans son camp par Bohémond, l'évasion d'Étienne de Blois.

L'alacrité, constante, est particulièrement plaisante dans les récits de fin de bataille : il y a du Candide en notre chevalier quand il montre, avec humour, les Francs poursuivant les Turcs, toujours à vive allure, les sabrant à plein corps et les envoyant rejoindre « le diable et ses anges », pendant qu'eux-mêmes razzient rapacement le bétail abandonné par l'ennemi.

Là où excelle le chevalier, c'est dans les récits de bataille. Il ignore tout de la stratégie : pourquoi exactement et avec quelles conséquences militaires les Francs ont-ils si longtemps suspendu leur marche entre Antioche et Jérusalem ? Peu lui chaut ! En revanche, à Nicée, Dorylée, Antioche, Marra, Archas, Jérusalem, Ascalon, il a tout vu de la tactique, l'ensemble comme les détails, donnant par avance à Stendhal un cinglant démenti : « J'étais à Waterloo ; je n'ai rien vu à Waterloo », nous serine

18

Fabrice. « J'étais à Ascalon, et j'ai tout vu à Ascalon »,
affirme l'Anonyme, avec son intrépidité de vaillant soldat.

Il a tout vu, à commencer par la disposition des
hommes, à commencer par la place des chefs, ainsi à
Ascalon, où le combat débute, comme dans un film, par
une lente et solennelle avancée de Godefroy de Bouillon à
la tête de ses troupes, à gauche, du comte de Saint-Gilles à
la tête des siennes, à droite. C'est pour le narrateur une
occasion parmi d'autres d'égrener les beaux noms des seigneurs de l'ancienne France, ceux d'Achard de Montmerle et de Robert de Sourde-Vallée, tellement plus
beaux, mieux adaptés aux circonstances, de Guillaume de
Sabran et de Godefroy de Mont-Galeux, que les prénoms
trop familiers de La Chanson de Roland, contempo-
raine exacte de notre Geste.

Chacun de ces combats a son visage, unique, pittoresque, émouvant : Dorylée, par exemple, ce sont les
glapissements incompréhensibles, et par là diaboliques, des
Turcs impies, mais aussi la douceur discrète de « nos
femmes » – dit l'Anonyme –, venant désaltérer leurs
hommes en plein combat.

Le détail de la bataille est aussi saisissant que
l'ensemble : voici Évrard le Veneur « sonnant bien fort de
la trompette », au haut de la tour roulante en bois poussée
contre les remparts de Marra. A Ascalon, le porte-
étendard arabe que va abattre net le comte de Normandie
« porte une pomme d'or au sommet d'une lance plaquée
d'argent ». Ce sont autant de motifs de vitrail, dont cer-

19

tains, sur l'ordre de Suger, ont effectivement orné la basilique Saint-Denis.

Passé l'heure de la bataille, la vie des Francs consiste essentiellement à marcher, à avoir faim et soif, sans doute à prier. Je dois dire ici mon étonnement devant le grand cas fait par Louis Bréhier de la valeur documentaire du reportage de l'Anonyme ; il insiste sur la « précision » et le « pittoresque » avec lesquels il ferait revivre « toute la société féodale de la fin du XIe siècle ». Je n'ai pas appris grand-chose de la société féodale chez l'Anonyme : le seul acte proprement féodal qu'il évoque est le serment de vassalité et, paradoxalement, ce serment lie les barons francs à un étranger à la société féodale, l'empereur de Byzance, cependant que leurs relations entre eux et avec leurs hommes sont souvent difficiles, mais empreintes d'une sorte de familiarité assez peu féodale, au sens conventionnel du terme.

Certes, il arrive que l'Anonyme donne le prix des denrées dans le camp – par ailleurs, il se désintéresse absolument de la vie des populations traversées. Ce n'est pas par souci de reportage : il n'a cure du cours du blé sur le marché de Constantinople ! Dire le prix d'une miche de pain, d'un œuf, d'une poule, en période de disette, c'est sa façon discrète, pudique, de dire la faim du pauvre monde : comme souvent pour la « menue gent », les chiffres ont pour lui valeur de preuve.

Loin de contribuer au pittoresque que lui attribue Louis Bréhier, le style de notre auteur tend à exclure cette couleur locale qui constitue l'attribut obligé d'un certain Moyen Age de pacotille. Il y a bien dans la Geste *les quatre néologismes techniques relevés par Bréhier :* burgus *(faubourg),* papilio *(pavillon),* saumarius *(sommier),* casal, *qui désigne un village syrien, mais ils ne sont guère représentatifs de la féodalité et je n'en vois pas d'autres, en dépit du* etc *de Bréhier. Loin d'employer des mots techniques, l'Anonyme préfère presque toujours le terme générique, plus vague, au terme spécifique : c'est ainsi que, joignant la litote à la généralité, il annonce que l'évêque du Puy est mort « de maladie », alors qu'il est mort de la peste. Il est partiellement contraint à cette généralité par l'usage du latin, koinè qui estompe les singularités : les « chevaliers » y sont des « combattants » sous sa plume – c'est pour me conformer à un usage invétéré que j'ai, le plus souvent, traduit les* milites *du texte par « chevaliers » ; ce médiévisme me paraît factice. Les « destriers », chez lui, ne sont que des « chevaux », les « brognes » des « cuirasses », des « machines » les « mangonneaux » d'Albert d'Aix.*

Ce refus du pittoresque se traduit par une étrange absence des couleurs, le blanc excepté – blanches sont les armées du Christ qui apparaissent au secours des combattants, le 28 juin 1098. Deux scènes spectaculaires et symboliques font intervenir des objets rouges : celle où Bohémond, au moment de se croiser, déchire son manteau

21

de pourpre pour en faire des croix, à coudre sur l'épaule des partants ; celle où le porte-étendard de Bohémond harcèle les Turcs en faisant voleter au-dessus de leurs têtes les languettes pourpres de son oriflamme – telles qu'on les voit sur la tapisserie de Bayeux. Ni ici ni là, la couleur rouge n'est précisée.

Ce « degré zéro » de la description suggère un certain dédain du monde extérieur, donne une impression d'intériorité à laquelle contribue une syntaxe moins simple, moins sommaire, que ne suggère Louis Bréhier : elle n'a plus la rigueur de la syntaxe cicéronienne – les conjonctions de subordination s'emploient souvent l'une pour l'autre – mais elle garde de l'époque classique une certaine complexité méditative, fort éloignée de cet idéal « sujet, verbe, complément » qu'on attribue, à la légère, aux hommes d'action.

Il s'agit en effet de suggérer que la réalité n'est pas « charnelle » mais « spirituelle », pour reprendre les termes employés par Bohémond sous Antioche, quand il exhorte à la vaillance son porte-étendard. Des beaux combats, l'Anonyme n'est pas dupe plus que du piétinement quotidien : ils ne sont que la mise en scène, le décor splendide du vouloir de Dieu, comme l'expose pertinemment à son butor de fils la mère de Courbaram, du fond de sa païennerie mahométane, hantée par « Satan et ses anges », tout encombrée de dieux en nombre grotesque – la Geste ignore, tout comme les chansons de geste, que l'islam est monothéiste, comme le christianisme. Ce Dieu

22

unique des chrétiens, unique objet de pensée, il faut le
chercher en soi. C'est pourquoi la Geste, *qui frôle par*
instants l'épopée en prose, est plus souvent une sorte de
journal intime ou plutôt spirituel. De la religion dont
celui-ci témoigne, voici les grands traits.

A Marra vivait, cinquante ans avant l'arrivée des
Francs, un vieux poète, sorte d'Homère aveugle. Il a
écrit :

Les habitants de la terre se divisent en deux :
Ceux qui ont un cerveau, mais pas de religion ;
Ceux qui ont une religion, mais pas de cerveau.

S'il avait eu le temps de voir arriver les envahisseurs, il
ne leur eût, à coup sûr, pas trouvé de cerveau : les Francs
étaient tout religion. Encadrés en permanence par les
clercs innombrables de l'expédition, les laïques prati-
quaient quotidiennement la prière, publique et privée, se
montraient accueillants aux visions, fréquentaient volon-
tiers les églises quand ils étaient à la halte dans les belles
villes d'Orient ; les églises étaient alors un lieu de délibé-
ration, comme on le voit dans l'épisode dramatique où les
princes essaient de remettre les pèlerins en route vers Jéru-
salem, malgré la discorde de Bohémond et de Raymond de
Saint-Gilles : ils délibèrent dans le chœur de la cathédrale
d'Antioche.

A la liturgie quotidienne se joignent des cérémonies

spectaculaires, dont la plus impressionnante est la procession menée « autour du circuit de Jérusalem » à la veille de l'assaut.

N'en déplaise à l'Arabe de Marra, ces rites quotidiens ancrent dans les esprits des règles de vie respectables et une théologie élaborée. Les règles se résument en deux mots : charité et sacrifice. Charité aux deux sens du terme : amour et aumônes. L'Église est alors le seul rempart des pauvres : la pauvreté n'est pas un problème politique. Il incombe à l'initiative pieuse des riches de soulager les indigents en leur donnant de leur bien. Tel est l'enseignement de l'évêque du Puy, dans sa belle homélie posthume.

A tous les fidèles, pauvres et riches, il convient de se sacrifier, si nécessaire jusqu'au martyre, en imitation du Christ. La croix est l'emblème omniprésent de la croisade et de la Geste. Elle n'entraîne pas pour autant les croisés au dolorisme : quelle joie pour l'Anonyme et ses compagnons, quand ils peuvent vivre comme des coqs en pâte, gavés d'« aliments corporels » et autres nourritures terrestres !

Ce christianisme n'est pas seulement une morale. Il est aussi une théologie savante, source de joies mystiques. L'émerveillement de l'Anonyme est sensible quand, après avoir reconnu le courage des Turcs, il se prend à énumérer les vérités du Credo : « Si les Turcs avaient cru en Dieu le père tout-puissant, en son fils unique..., ils nous auraient vaincus. » Cet émerveillement se complaît tout spécialement dans le mystère de la Trinité, de ce Dieu « trin et un » si souvent évoqué à la clôture d'un épisode.

Il se trouve que la Trinité est au centre de la théologie de l'Église orthodoxe. L'Église latine, à laquelle appartient l'Anonyme, subirait-elle, en ces temps, l'influence de sa sœur, l'Église grecque ? Ce qui est sûr, c'est que les fidèles de l'« apostolique » de Rome accueillent avec joie, sous Antioche, l'apparition des gentils saints d'icônes du méchant empereur, Georges, Démétrios et... Mercure, et que l'Anonyme n'a pas un mot acerbe à l'égard des chrétientés locales, pourtant officiellement coupées de Rome par le schisme, depuis l'excommunication de 1054.

Mais ne nous laissons pas trop éblouir par cet œcuménisme. Il est temps de dire un mot des excès de la guerre sainte. La croisade se défendait d'en être une, en ce sens qu'elle n'entendait pas, au départ, obliger les Turcs à se faire chrétiens. Plus d'une fois, pourtant, l'Anonyme nous fait assister au chantage atroce : conversion ou extermination.

Au nom du Christ, les Francs se sont en effet livrés aux pires excès contre leurs ennemis. Le fait est unique dans l'histoire de la chrétienté. Le Christ avait dit : « Heureux les doux », « Aimez vos ennemis ». Fidèle à cette leçon, la tradition chrétienne se montre en général hostile à l'effusion de sang. La croisade constitue une rupture flagrante avec cette tradition. Elle a entraîné des crimes dont l'Anonyme est un témoin partiel.

Il ne dit rien des pogroms hallucinants perpétrés sur les juifs des bords du Rhin par la croisade populaire. Il a l'excuse de n'y avoir pas assisté. Mais les ignorait-il ? Personne ne le sait, sinon Dieu, et Dieu seul !

Il relate trois faits atroces : dans l'ordre chronologique, ce sont la violation des sépultures turques sous Antioche, les actes d'anthropophagie de Marra et à Jérusalem, le massacre sanglant de païens dont certains s'étaient placés sous la protection de Tancrède.

De ces trois faits, le seul devant lequel notre narrateur paraisse ressentir une certaine contrition est celui de Marra. Il en atténue la bestialité : la tradition veut que les Francs aient fait bouillir les Turcs vivants, comme on cuit le homard. L'Anonyme prétend qu'ils n'ont fait que manger des cadavres.

La profanation des sépultures toutes fraîches des ennemis abattus le jour précédent est particulièrement atroce : les Francs se sont rués sur le cimetière musulman de la Mahomerie, ils ont exhumé les cadavres, pillé les objets précieux qu'on avait enterrés avec eux, décapité les corps, emporté les têtes sous leurs tentes, à dessein, précise notre auteur, d'établir les statistiques de la bataille – l'humour noir est ici inconscient. Notre chevalier, goguenard, a utilisé le lendemain les pierres descellées des tombeaux pour avancer la fortification en cours. Il ne s'agissait pas de débordements incontrôlés : les chefs avaient commandé l'opération, contre laquelle personne, laïque ou clerc, ne s'est élevé. Le jour où il était apparu à un prêtre, le Christ n'avait reproché à ses « athlètes » aucune cruauté, seulement leurs fornications.

Il se peut qu'à Jérusalem un chef franc, et un seul, ait eu un sursaut d'horreur devant la barbarie de ses compa-

gnons : c'est Tancrède, le neveu de Bohémond, le paladin parfait du Tasse. Après le massacre commis au temple de Jérusalem – alors mosquée d'Omar –, l'Anonyme écrit, laconique : « Tancrède fut en grande colère. » Sans doute, le jeune prince perdait-il la rançon escomptée de ses protégés. Mais il avait peut-être honte pour les Francs. C'est le grand art de l'Anonyme de nous laisser sur cet espoir.

Aude Matigon

Principes adoptés pour la traduction

1. Disposition du texte

Nous avons conservé la division traditionnnelle de la Geste en dix chapitres très inégaux que nous avons fait précéder chacun d'un titre, pour la clarté du découpage.

Les titres et sous-titres multiples et circonstanciés de l'édition Bréhier nous ont paru morceler à l'excès la continuité caractéristique des textes. A la même époque que l'Anonyme, Albert d'Aix raconte les mêmes faits en saynètes bien délimitées, bien cernées, alors qu'on sent au contraire chez l'Anonyme la volonté inconsciente de reproduire, plutôt que des faits distincts, l'impression qu'ils ont produite sur lui, en une expérience intérieure aux limites spatiales et temporelles indéfinies.

C'est pourquoi nous avons renoncé à morceler ainsi le récit. Ceux qui souhaiteraient connaître la date exacte de chaque événement raconté pourront se reporter aux divi-

sions ou subdivisions de l'édition Bréhier, précises et à cet égard précieuses.

2. Choix des manuscrits

A la différence de Louis Bréhier, on n'a pas hésité à puiser ici et là, dans un manuscrit considéré comme tardif, une explication du texte originel. Ne serait-elle pas de l'auteur premier, parfois trop laconique, qu'elle le fait comprendre.

3. Principes de traduction

Beaucoup moins datée, me semble-t-il, que la partie littéraire de sa préface, la traduction de Bréhier m'a souvent aidée. Je la trouve belle, toujours élégante, souvent exacte. Mon propos a été de rester plus proche du latin, dans le respect de deux principes : l'Anonyme n'a pas à être édulcoré ; l'Anonyme n'use pas d'un latin si abâtardi qu'il s'autorise tous les écarts par rapport à la latinité classique.

L'Anonyme n'a pas à être édulcoré, quand par exemple il dit qu'arrivés devant Jérusalem les Francs « ont, dans la terreur et l'épouvante, bu leurs chevaux ». Depuis Baudry de Bourgueil, on rejette cette expression, certes étonnante, transformant « boire » en « abreuver », par un petit miracle sémantique qui laisse perplexe l'incrédule que je suis. Je ne vois pas, d'autre part, pourquoi l'Anonyme passerait ainsi de la soif des hommes à celle des chevaux, ni pourquoi une opération aussi familière que celle d'abreuver les montures susciterait « terreur et épouvante ». Il s'agit à l'évidence, n'en déplaise à Bréhier, de la même pratique barbare qu'à Exerogorgo, au début de la campagne, quand les Francs, mourant de soif, avaient « phlébotomisé » les malheureuses bêtes sur lesquelles, flanc contre flanc, ils avaient passé tant de bonnes heures avant d'en boire le sang. Confusément, l'Anonyme a honte, comme devant les scènes de cannibalisme de Marra. Il ne nie pas les faits. Ne les nions pas à sa place.

L'Anonyme n'use pas d'un latin si abâtardi qu'il permette tous les écarts par rapport à l'usage classique. C'est ainsi que, dans l'édition Bréhier, page 102, sin autem a le sens classique de dans le cas contraire. Les barons sont en train de préciser à qui reviendra Antioche, une fois prise : « Si l'empereur nous vient en aide, ... nous la lui rendrons de droit ; mais, dans le cas contraire, que Bohémond l'ait en sa possession ! » Ce cas contraire va en fait se réaliser, puisque l'empereur, dupé par Étienne de Blois, rebroussera chemin avec son armée de secours sur la route d'Antioche. D'après le texte de la Geste, Bohémond sera donc en droit de garder la ville. Aussi félon envers les croisés qu'Étienne de Blois, Bréhier minimise ici les droits de Bohémond sur Antioche en traduisant, avec un contresens : « même dans le cas où Bohémond l'aurait en sa possession » (op. cit. page 103). Byzance n'en a pas fini de fasciner les universitaires !

Je crois qu'il faut essayer de lire la Geste dans sa vérité et aimerais avoir tant soit peu contribué à mettre sur cette voie.

Chronologie sommaire de
la première croisade

18-28 novembre 1095 : concile de Clermont. Le 27, Urbain II lance un appel public à la reconquête du Saint-Sépulcre.

Mars 1096 : départ de la croisade populaire menée par Pierre l'Ermite.

Mai-juin 1096 : pogroms de la vallée du Rhin.

1er août 1096 : arrivée de Pierre l'Ermite à Constantinople.

15 août 1096 : date officielle du départ des barons.

Octobre 1096 : massacre des bandes de Pierre l'Ermite à Civitot.

23 décembre 1096 : Godefroy de Bouillon à Constantinople.

1er avril 1097 : Bohémond de Tarente à Constantinople.

Printemps 1097 : serment d'allégeance des chefs francs à l'empereur Alexis.

Mai-juin 1097 : siège et chute de Nicée.

1er juillet 1097 : bataille de Dorylée.

Juillet-août 1097 : traversée du désert.

20 octobre 1097-3 juin 1098 : siège d'Antioche. Prise d'Antioche par les Francs.

5-28 juin 1098 : siège d'Antioche par les Turcs ; victoire franque.

Novembre-11 décembre 1098 : siège et prise de Marra.

Février 1099 : siège et prise de Tortose.

14 février-13 mai 1099 : siège et prise d'Archas.

Mai-juin 1099 : traversée de la Palestine.

13 juin-15 juillet 1099 : siège et prise de Jérusalem.

22 juillet 1099 : élection de Godefroy de Bouillon à la tête de Jérusalem.

12 août 1099 : bataille d'Ascalon.

LES ROUTARDS DE DIEU

Déjà approchait cette échéance que le Seigneur Jésus représente quotidiennement à ses fidèles, disant en particulier dans l'Évangile : « Si quelqu'un veut venir après moi, qu'il se renie lui-même, se charge de sa croix et me suive [1]. » Il se fit donc un puissant ébranlement par toutes les régions des Gaules, visant à faire que quiconque désirait suivre le Seigneur, avec zèle et dans la pureté du cœur et de l'esprit, et après lui se charger de la croix dans la foi, embrassât sans tarder, à vive allure, la voie du Saint-Sépulcre.

Le détenteur apostolique du siège de Rome, Urbain le Second [2], partit au plus vite outremonts avec ses archevêques, évêques, abbés et prêtres, et il se mit à habilement sermonner et prêcher : quiconque, disait-il, voulait sauver son âme, ne devait pas hésiter à prendre humblement la voie du Seigneur ; si lui manquait de deniers abondance, la miséricorde divine lui fournirait à suffisance. Le seigneur apostolique ajoutait : « Frères, il nous faut souffrir bien des maux pour le nom du Christ : ce sont misère, pauvreté, nudité, persécution, dénuement, infirmité, faim, soif et autres semblables, conformément à la parole du Seigneur à ses disciples : " Il vous faut souffrir bien des maux pour mon nom [3] ", et " Ne rougissez pas de parler à la face des hommes [4] ", et encore " Vous écherra large rétribution [5]. " »

Cette prédication se répandit progressivement à travers la totalité des régions et provinces des Gaules. Les Francs, en entendant de telles paroles, ne tardèrent pas à se coudre des croix sur l'épaule droite, disant qu'ils suivraient unanimement les pas du Christ, grâce auxquels ils avaient été rachetés de la main du Tartare.

Déjà les Gaules entières ont quitté le logis, et les Gaulois forment trois contingents. L'un des contingents de Francs entra dans la région de Hongrie. Il y avait là Pierre l'Ermite, le duc Godefroy, Baudouin son frère, Baudouin comte de Mons. Ces très puissants chevaliers et plusieurs autres que j'ignore empruntèrent la voie que jadis Charlemagne, le merveilleux roi de France, avait fait disposer jusqu'à Constantinople.

Pierre susnommé arriva le premier à Constantinople, le 1ᵉʳ août ; avec lui, beaucoup d'Allemands. Il trouva là rassemblés des Lombards, des Longobards [6] et beaucoup d'autres, que l'empereur avait donné ordre de ravitailler en fonction des possibilités de Constantinople, et à qui il avait dit : « Ne traversez pas le Bras [7] jusqu'à l'arrivée du gros des chrétiens : vous n'êtes pas assez nombreux pour pouvoir affronter les Turcs. » Les chrétiens se comportèrent en scélérats, jetant bas et incendiant les palais de la ville, enlevant le plomb qui recouvrait les églises pour le vendre aux Grecs. Aussi, l'empereur en colère leur ordonna-t-il de traverser le Bras.

Après l'avoir passé, ils ne cessèrent de commettre toutes sortes de méfaits, brûlant et dévastant maisons et églises. Enfin, ils parvinrent à Nicomédie. Là, les Lombards, les Longobards et les Allemands se séparèrent des Francs parce que ces derniers étaient des outres d'orgueil. Les Lombards et les Longobards élurent à leur tête un seigneur nommé Renaud ; les Allemands firent de même. Ils entrèrent en Romanie [8] et, pendant quatre jours, marchèrent au-delà de la ville de Nicée. Ils trouvèrent une place appelée Exerogorgo ; il n'y avait là âme qui vive ; ils se saisirent de la place et y trouvèrent à suffisance du blé, du vin, de la viande et, en abondance, toutes sortes de biens.

Apprenant que des chrétiens étaient dans la place, les Turcs vinrent l'assiéger. Devant la porte de la place était un puits, au pied de la place une source vive. Renaud sortit se poster en embuscade près de cette source dans l'attente des Turcs. Ceux-ci arrivèrent – c'était le jour de la consécration de saint Michel – et trouvèrent Renaud et ses compagnons dont ils firent grand massacre ; les autres se réfugièrent dans la place, qu'aussitôt les Turcs assiégèrent en l'isolant du point d'eau. La soif mit les nôtres en telle détresse qu'ils en vinrent à ouvrir les veines de leurs chevaux et leurs ânes pour en boire le sang. D'autres lançaient des ceintures et des morceaux de vêtements dans une mare, et ensuite exprimaient l'eau dans leur bouche. D'autres pissaient dans le poing d'un copain et buvaient. D'autres creusaient la terre humide, s'allongeaient sur le dos et se saupoudraient la poitrine de terre pour lutter contre la déshydratation. Les évêques et les prêtres réconfortaient les nôtres, les exhortant à ne pas flancher. Ils disaient : « Restez inébranlables dans la foi du Christ, sans craindre ceux qui vous persécutent, conformément à la parole du Seigneur : " Ne craignez pas ceux qui tuent le corps mais qui ne peuvent tuer l'âme. " »

Cette tribulation dura huit jours. Puis le

maître des Allemands passa un accord avec les Turcs pour leur livrer ses alliés : feignant de sortir au combat, il s'enfuit auprès d'eux, et beaucoup le suivirent. Ceux qui refusèrent de renier le Seigneur subirent la sentence capitale. D'autres, capturés vivants, furent séparés les uns des autres comme on sépare des brebis : les uns, après avoir été relâchés sur un signal, étaient tués à coups de flèches ; les autres étaient vendus ou donnés comme du bétail ; certains conduisaient leurs prisonniers dans leur maison, les uns dans le Khorassan [9], d'autres à Antioche, d'autres à Alep, ou ailleurs, selon leur domicile. Là se trouvèrent les premiers à recevoir le bienheureux martyre pour le nom du Seigneur Jésus.

Les Turcs apprirent ensuite que Pierre l'Ermite et Gautier sans Avoir étaient à Civitot, au-dessus de Nicée. Ils vinrent là en grande joie pour les massacrer, eux et leurs compagnons. Ils arrivaient quand ils tombèrent sur Gautier avec les siens, qu'ils eurent bientôt massacrés. Pierre l'Ermite, lui, venait de quitter ses hommes pour Constantinople, parce qu'il ne parvenait pas à refréner cette armée hétéroclite qui ne voulait entendre ni lui ni ses paroles. Fondant sur les Francs, les Turcs en firent grand massacre : ils trouvèrent les uns dormant, d'autres allongés, d'autres tout nus ; ils exécutèrent tout le monde.

Avec eux se trouvait un prêtre célébrant la messe. Aussitôt, sur l'autel, il subit le martyre. Ceux qui purent s'évader se réfugièrent dans la forteresse de Civitot. Il y en avait qui se précipitaient dans la mer, d'autres qui se cachaient dans les forêts et les montagnes. Les Turcs les poursuivirent dans la forteresse et entassèrent du bois pour les brûler avec la place. Alors, les chrétiens qui s'y trouvaient mirent le feu au bois entassé. Le feu tourna sur les Turcs et en brûla un certain nombre, cependant que Dieu délivrait les nôtres de l'incendie. Pour finir, les Turcs capturèrent les chrétiens vivants et, comme ceux d'Exerogorgo, ils les dispersèrent vers ces lointaines régions qu'étaient le Khorassan, la Perse. Tout cela eut lieu au mois d'octobre.

En apprenant que les Turcs avaient ainsi détruit les nôtres, l'empereur se réjouit fort et donna mission de faire traverser le Bras [10] à ceux qui étaient près de lui. Après qu'ils furent de l'autre côté, il s'appropria toutes leurs armes.

Le deuxième contingent entra en Esclavonie [11] ; il comportait le comte de Saint-Gilles, Raymond et l'évêque du Puy [12].

Le troisième contingent emprunta l'antique route de Rome. S'y trouvaient Bohémond, Richard de la Principauté, Robert comte de Flandre, Robert le Normand, Hugues le Grand,

Évrard du Puiset, Achard de Montmerle, Isoard de Mouzon et d'autres. Ils parvinrent au port de Brindes, ou à Bari, ou encore à Otrante.

Hugues le Grand [13] et Guillaume, le fils du marquis, embarquèrent à Bari et débarquèrent à Dyrrachium [14]. Apprenant que ces deux hommes de très grande prudence avaient accosté chez lui, le seigneur du lieu eut bientôt le cœur touché d'une mauvaise pensée : il les arrêta et donna ordre de les conduire sous bonne garde, devant l'empereur, à Constantinople, pour lui jurer fidélité.

Enfin, le duc Godefroy arriva à Constantinople avec sa grande armée ; il y arrivait le premier de tous les seigneurs ; c'était deux jours avant la nativité de Notre Seigneur. Il campa hors la ville jusqu'à ce que l'empereur inique eût donné ordre de le loger dans un faubourg. Quand il y eut pris ses quartiers, le duc envoya chaque jour, sans penser à mal, ses hommes d'armes chercher de la paille et autres objets nécessaires à leurs chevaux. Et ils croyaient déjà pouvoir sortir en toute confiance quand l'inique empereur Alexis commanda à des Turcopoules [15] et à des Petchénègues [16] de les attaquer et de les tuer. Mais Baudouin, le frère du duc, en fut informé, et il se porta en embuscade, finit par trouver les hommes d'Alexis en train de tuer les siens, les attaqua d'un cœur vaillant et, Dieu aidant, en vint à bout. Il en captura soixante, dont il tua une partie, et présenta les autres au duc son frère.

En apprenant cela, l'empereur fut en grande colère. Voyant cela, le duc sortit du faubourg avec les siens et établit son camp hors la ville. Le soir venu, le funeste empereur donna ordre à ses troupes de l'attaquer ainsi que le peuple du Christ. Invincible, avec les soldats du Christ, le duc poursuivit les hommes de l'empereur, en tua sept, poursuivit les autres jusqu'à la porte de Constantinople. Il retourna à ses tentes et resta là cinq jours, puis finit par passer un accord avec l'empereur. Celui-ci l'invita à traverser le Bras de Saint-Georges et il lui donna l'autorisation de faire à Constantinople tout le ravitaillement que les ressources de la ville permettaient, et de distribuer aux pauvres une aumône qui assurât leur subsistance.

De son côté, Bohémond puissant au combat était au siège d'Amalfi-Pont-sur-Scaphard, quand il apprit l'arrivée du peuple innombrable des chrétiens de France en route vers le Sépulcre du Seigneur, prêts à affronter le peuple des païens. Il commença par s'enquérir en diligence des armes de combat qu'utilisait cette armée, de l'insigne du Christ qu'elle portait en chemin, du cri de guerre qu'elle poussait dans la bataille. Il lui fut répondu dans le même ordre : « Ils emportent les armes qu'il faut pour la bataille. Sur l'épaule droite ou entre les deux épaules, ils sont chargés de la croix du Christ. Leur cri, c'est "Dieu le veut ! Dieu le veut ! Dieu le veut !", clamé d'une seule voix. » Bientôt, touché du Saint-Esprit, Bohémond donna ordre de déchirer un manteau de grand prix qu'il avait avec lui et, séance tenante, le débita tout entier en croix.

Alors, courut impétueusement se joindre à lui la plus grande partie des chevaliers du siège d'Amalfi, si bien que le comte Roger [17] y resta presque seul et que, rentré en Sicile, il lui arrivait encore de s'affliger et de se désoler d'avoir perdu sa gent.

Rentré dans sa terre, le seigneur Bohémond se prépara en diligence à entreprendre le voyage du Saint-Sépulcre. Enfin, il traversa la mer avec son armée. Avec lui étaient Tancrède, le fils du marquis [18], le prince Richard, son frère Renoul, Robert d'Anse, Hermann de Cannes, Robert de Sourde-Vallée, Robert fils de Toutain, Onfroy fils de Raoul, Richard fils du comte Renoul, le comte de Rossignol avec ses frères, Boel de Chartres, Aubré de Cagnano, Onfroy de Mont-Galeux. Tous firent la traversée au service de

Bohémond et accostèrent en Bulgarie où, ils trouvèrent à profusion du blé, du vin, des provisions de bouche.

Descendant ensuite dans la vallée d'Andronopolis, ils y attendirent que toute l'armée eût fait semblablement la traversée. Bohémond convoqua alors les siens en assemblée : il les encouragea et les avertit d'être bons et humbles, de ne pas piller cette terre qui était à des chrétiens, de ne rien prendre que le minimum indispensable à leur alimentation.

Alors ils partirent. Ils s'en allèrent en parfaite plénitude de village en village, de cité en cité, de castel en castel, et c'est ainsi que nous parvînmes à Castoria, où nous célébrâmes solennellement la Nativité du Seigneur. Nous fûmes là plusieurs jours et essayâmes de nous ravitailler. Mais la population ne voulut rien nous consentir : elle avait trop peur de nous, voyant en nous non pas des pèlerins mais des pillards et des assassins. C'est pour cette raison que nous capturions des bœufs, des chevaux, des ânes, tout ce qui nous tombait sous la main. Sortis de Castoria, nous entrâmes en Palagonie, où se trouvait une forteresse d'hérétiques. Nous l'attaquâmes de toutes parts et bientôt elle se coucha sous notre empire : y ayant mis le feu, nous la réduisîmes en cendres avec ses habitants.

Ensuite nous atteignîmes le fleuve Vardar. Le seigneur Bohémond continua au-delà avec sa gent, mais amputée : le comte de Rossignol resta en effet en arrière avec ses frères. Survint l'armée de l'empereur, qui attaqua le comte avec ses frères et leur suite. A cette nouvelle, Tancrède revint sur ses pas, se jeta dans le fleuve et rejoignit les retardataires à la nage. Deux mille hommes plongèrent à leur tour pour suivre Tancrède. Ils finirent par trouver des Turcopoules et des Petchénègues aux prises avec les nôtres, les attaquèrent vaillamment à l'improviste et leur prudence vint à bout d'eux. Ils en capturèrent plusieurs et les amenèrent ligotés en présence du seigneur Bohémond. Celui-ci leur dit : « Pourquoi, malheureux, massacrez-vous le peuple du Christ, qui est aussi le mien ? Je n'ai aucune querelle avec votre empereur ! » Ils répondirent : « Nous ne pouvons faire autrement : nous sommes des mercenaires à la solde de l'empereur et tout ce qu'il nous ordonne, il nous faut l'accomplir. » Bohémond les laissa partir impunis.

Cette bataille eut lieu le mercredi des Cendres. En tout soit béni Dieu ! Amen !

MAUDITE SOIT BIZANCE !

Le maudit empereur chargea l'un des siens, qui avait son affection, parmi ceux que l'on appelle « curopalates », de se joindre à nos ambassadeurs pour nous conduire en sûreté à travers sa terre jusqu'à notre arrivée à Constantinople. Quand nous passions devant les cités soumises à l'empereur, il donnait ordre aux habitants du lieu de nous apporter du ravitaillement, selon la pratique que nous avons déjà évoquée. Mais ceux-ci avaient tellement peur de la très vaillante armée du seigneur Bohémond qu'ils ne laissaient aucun des nôtres franchir leurs murailles. Les nôtres voulurent attaquer et prendre une place forte, parce qu'elle regorgeait de biens de toutes sortes. Mais Bohémond, le prudent homme, s'y opposa, tant pour la justice due à la terre que pour la foi due à l'empereur. A ce sujet, il se mit en grande colère à l'égard de Tancrède et de tous les autres. L'incident avait eu lieu un soir. Au matin, on vit sortir les habitants de la place. En procession, croix en main, ils vinrent se présenter à Bohémond. Il les reçut avec joie et les laissa repartir dans l'allégresse.

Nous arrivâmes ensuite à une ville qui s'appelle Serrès, où nous plantâmes nos tentes et fîmes l'approvisionnement convenant à cette période de carême. Là, Bohémond passa un accord avec deux curopalates ; par amitié pour eux et pour la justice due à la terre, il donna ordre aux nôtres de restituer tout le bétail qu'ils tenaient par maraude.

Nous parvînmes ensuite à la cité de Rousa. La population – des Grecs – sortait et venait joyeusement à la rencontre du seigneur Bohémond, nous apportant des marchandises en quantité. Nous tendîmes là nos pavillons. Là, Bohémond quitta la totalité de l'armée pour aller à Constantinople rencontrer l'empereur. Il quitta ses hommes sur cette consigne : « Approchez tranquillement de la cité pendant que j'irai en avant. » Il emmena avec lui juste une poignée de chevaliers.

C'est Tancrède qui resta à la tête de la milice du Christ. La vue de pèlerins qui achetaient des mets lui donna l'idée de sortir du chemin tracé pour conduire le peuple là où il pourrait faire bombance. Il entra dans une vallée regorgeant de tout ce qui allait les ragaillardir ; c'est là que, très dévotement, nous célébrâmes la Pâque du Seigneur.

En apprenant l'arrivée du très honorable Bohémond, l'empereur donna ordre de le recevoir avec honneur et de le loger sous bonne garde hors la ville. Une fois qu'il fut installé, l'empereur l'envoya chercher pour avoir avec lui un entretien secret. Il reçut aussi le duc Godefroy et son frère. Ensuite le comte de Saint-Gilles approcha de Constantinople. L'empereur était anxieux et bouillait de colère : il ruminait alors le moyen de se saisir par ruse et par dol de ces soldats du Christ. Mais la grâce divine se manifesta : ni lui ni les siens ne trouvèrent pour nuire lieu ni place. Mais, pour finir, il y eut un rassemblement de tous les grands qui étaient à Constantinople [19] et, comme ils craignaient d'être privés de leur patrie, l'idée suivante germa dans leurs délibérations et inventives prévisions : on devait imposer aux nôtres, ducs et comtes, bref à tous les grands, de prêter un serment de fidélité à l'empereur. Les intéressés refusèrent net : « C'est indigne, protestèrent-ils, ce serment nous semble parfaitement injuste. »

Peut-être arrivera-t-il encore plus d'une fois que nous soyons trompés par nos seigneurs. Jusqu'où en arriveront-ils ? Ils diront qu'ils étaient poussés par la nécessité en s'humiliant bon gré mal gré devant la volonté de l'empereur scélérat !

Au très vaillant Bohémond, qu'il redoutait fort pour avoir plus d'une fois décampé devant lui, l'empereur promit, s'il lui prêtait volontiers serment, une terre de quinze journées de marche en longueur et huit en largeur, située en arrière d'Antioche. Ce à quoi il joignit un serment de ce genre : s'il tenait fidèlement son engagement, lui n'enfreindrait jamais le sien. Des chevaliers si vaillants et si durs, pourquoi ont-ils agi ainsi ? Ils étaient à coup sûr contraints par une nécessité pressante !

L'empereur promit aussi à tous les nôtres foi et sécurité. Il jura même de venir avec nous par terre et par mer avec son armée, de nous ravitailler loyalement sur terre et sur mer, de réparer diligemment toutes nos pertes, et en outre, de ne faire ni laisser molester ni contrister, sur la voie du Saint-Sépulcre, nul de nos pèlerins.

Le comte de Saint-Gilles était cantonné, hors de la cité, dans un faubourg, et son armée était restée en arrière. L'empereur le pria de lui prêter hommage et fidélité comme les autres. Le comte méditait précisément le moyen de tirer vengeance de l'armée impériale. Mais le duc Godefroy, Robert comte de Flandre, les autres princes, lui représentèrent qu'il serait injuste de se battre contre des chrétiens. Le sage Bohémond ajouta que, s'il commettait quelque injustice envers l'empereur et refusait de lui prêter fidélité, lui-même se rangerait du parti de l'empereur. Le comte accepta donc le conseil des siens et jura vie et honneur à Alexis : il ne consentirait qu'il fût porté atteinte à l'une et à l'autre ni de son fait, ni du fait d'autrui. Quand il fut appelé pour l'hommage [20], il répondit en revanche qu'il n'en était pas question, fût-ce au péril de sa tête. C'est alors que l'armée du seigneur Bohémond approcha de Constantinople.

Tancrède et Richard de la Principauté, pour échapper au serment à faire à l'empereur, traversèrent le Bras en secret, suivis de presque toute l'armée de Bohémond. C'est peu après que l'armée du comte de Saint-Gilles approcha de Constantinople. Le comte y séjourna avec ses gens. Bohémond, de son côté, prolongea son séjour avec l'empereur pour délibérer avec lui du moyen de ravitailler les troupes qui étaient au-delà de Nicée. Ainsi, est-ce le duc Godefroy qui gagna le premier Nicomédie, avec Tancrède et tous les autres. Ils y furent trois jours.

Le duc s'aperçut qu'aucune route n'était assez large pour acheminer tant de gens jusqu'à Nicée : en effet, la voie empruntée par les premiers pèlerins [21] ne pouvait maintenant assurer le passage de toute l'armée. Il envoya donc devant lui trois mille hommes, munis de haches et d'épées, pour tailler et élargir la voie, afin qu'elle se trouvât praticable à nos pèlerins jusqu'à Nicée. Cette voie fut ouverte à travers une montagne étroite, immense. Les terrassiers laissaient sur leur passage des croix de fer et de bois qu'ils posaient sur des troncs d'arbre pour servir de repères à nos pèlerins. Là-dessus, nous parvînmes à Nicée, qui est la capitale de toute la Romanie. C'était le 6 mai. Là, nous campâmes.

Avant le retour parmi nous du seigneur Bohémond, nous connûmes une telle disette de pain qu'un seul quignon se vendait vingt à trente deniers. Après son arrivée, Bohémond le prudent donna ordre de faire venir par mer un abondant ravitaillement. Il en venait en même temps des deux côtés, et par terre et par mer. Ce fut très grande prospérité dans toute la milice du Christ.

C'est le jour de l'Ascension du Seigneur que nous commençâmes à assaillir de toutes parts la ville et à construire, avec du bois, des machines et des tours pour abattre les remparts de Nicée. Nous attaquons si vaillamment et vivement la ville deux jours durant que nous parvenons à saper la muraille. Les Turcs assiégés envoient alors, à une colonne de secours qui leur arrivait,

51

un message ainsi conçu : qu'ils approchent hardiment et en confiance et entrent par la porte du midi ; de ce côté, personne ne viendra leur barrer la route pour leur faire un mauvais parti.

La porte en question fut occupée le jour même par le comte de Saint-Gilles et l'évêque du Puy. C'était le samedi suivant l'Ascension du Seigneur. Protégé par la vertu divine et tout resplendissant de ses armes terrestres, le comte arriva par le côté opposé avec sa très vaillante armée. Il se heurta aux Turcs qui marchaient contre nous. Armé de toutes parts du signe de la croix, il chargea avec fougue et les terrassa. Ils prirent la fuite et eurent beaucoup de morts. Une seconde vague de Turcs vint au secours de la première, joyeuse et exultante, sûre de la victoire, traînant avec soi des cordes pour nous emmener garrottés dans le Khorassan. Arrivant en liesse, ils se mirent à dévaler peu à peu du faîte d'une hauteur. A mesure qu'ils descendaient, ils restaient sur place, la tête coupée par la main des nôtres ; ceux-ci projetaient les têtes coupées dans la ville avec des frondes, pour accroître la terreur des Turcs.

Puis, le comte de Saint-Gilles et l'évêque du Puy se consultèrent sur le moyen de saper une tour qui se trouvait devant leurs tentes. On disposa des hommes chargés de la sape, avec des arbalétriers et des archers pour les protéger de toutes parts. Ils sapèrent la tour jusqu'aux fondements de la muraille, introduisirent par-dessous des poutres et du bois, puis mirent le feu. Le soir venu, la tour tomba ; il faisait déjà nuit, ce qui les empêcha d'engager le combat avec les Turcs. Pendant la nuit, ceux-ci se levèrent précipitamment et réparèrent la muraille si solidement que, le jour venu, on ne put leur causer le moindre dommage de ce côté-là.

Bientôt vinrent Robert, comte de Normandie, le comte Étienne, plusieurs autres, puis Roger de Barneville. Bohémond, enfin, assiégea la ville en première ligne. A côté de lui était Tancrède ; derrière, le duc Godefroy ; ensuite, le comte de Flandre ; à côté de lui, Robert le Normand ; à côté de celui-ci, le comte de Saint-Gilles ; à côté de lui, l'évêque du Puy. L'investissement par terre était tel que personne n'osait sortir ni entrer. Les nôtres étaient soudés en un. Qui eût pu dénombrer l'incalculable milice du Christ ? Il m'est avis que nul n'avait jamais vu ni ne pourra jamais revoir tant de si prudents chevaliers.

Il y avait d'un côté de la ville un immense lac. Les Turcs y envoyaient des bateaux à eux et ils pouvaient ainsi sortir, entrer, apporter dans la ville du fourrage, du bois, d'autres objets. Nos chefs, après s'être consultés, envoyèrent des messagers à Constantinople, demandant à l'empereur de faire convoyer des bateaux au port de Civitot, de donner ordre ensuite de rassembler des bœufs pour tirer ces bateaux à travers monts et forêts jusqu'à proximité du lac. L'empereur s'exécuta aussitôt et joignit même un contingent de Turcopoules aux bateaux. Le jour où les bateaux atteignirent le lac, on ne voulut pas les y jeter aussitôt : on attendit la nuit et on les jeta en plein lac, chargés des Turcopoules en bel arroi. Au point du jour, la flottille trônait en belle ordonnance sur le lac, se dirigeant à vive allure contre la ville. Les Turcs s'étonnèrent : les équipages étaient-ils aux leurs ou à l'empereur ? Quand ils s'aperçurent qu'il s'agissait des hommes de l'empereur, ils furent saisis de crainte jusqu'à la mort, pleurèrent et se lamentèrent. Les Francs se réjouissaient et rendaient grâce à Dieu.

Voyant qu'ils ne pourraient recevoir aucun secours de leurs armées, les Turcs envoyèrent une ambassade à l'empereur, s'engageant à lui rendre spontanément la ville s'il leur donnait les moyens d'en partir avec leurs femmes, leurs enfants et tous leurs biens. Alors, l'empereur, possédé d'un vain et inique dessein, donna ordre de les laisser partir impunis sans avoir rien à craindre, et de les lui amener à Constantinople en toute confiance : il les épargnait avec ce beau zèle pour les avoir à sa disposition afin de nuire et faire obstacle aux Francs.

Nous avons été à ce siège pendant sept semaines et trois jours, et beaucoup des nôtres reçurent là le martyre et, dans la joie et l'allégresse, rendirent à Dieu leurs âmes bienheureuses. Parmi les plus pauvres, beaucoup sont morts de faim pour le nom du Christ. Ils ont porté au ciel, en triomphateurs, la robe du martyre subi, disant d'une seule voix : « Venge, Seigneur, notre sang répandu pour toi qui es béni et digne de louanges pour les siècles des siècles. Amen ! »

AU CRI D'« ALLAH EST GRAND ! »

Là-dessus, quand Nicée se fut rendue et que les Turcs eurent été amenés à Constantinople, l'empereur redoubla de joie que cette cité revînt en sa puissance et il ordonna de distribuer à nos pauvres de très larges aumônes.

Le jour même de notre départ de Nicée, nous atteignîmes un pont et restâmes là deux jours. Deux jours plus tard, les nôtres se levèrent avant l'aurore ; à cause de la nuit, n'y voyant pas assez pour tenir tous le même chemin, ils se trouvèrent séparés en deux colonnes et marchèrent ainsi séparés pendant deux jours. Dans l'une des colonnes se trouvaient Bohémond, Robert le Normand, le prudent Tancrède et plusieurs autres ; dans l'autre, le comte de Saint-Gilles, le duc Godefroy, l'évêque du Puy, Hugues le Grand, le comte de Flandre et plusieurs autres.

Deux jours plus tard, les Turcs assaillirent violemment Bohémond et sa suite. A la vue des nôtres, les Turcs se mirent aussitôt à glapir, caqueter, brailler à pleins poumons, répétant un mot diabolique, je ne sais lequel, dans leur langue. Le sage Bohémond, à la vue des Turcs innombrables qui, au loin, glapissaient et braillaient à voix démoniaque, ordonna aussitôt à tous les combattants de descendre de cheval et de déployer au plus vite les tentes. En attendant, il s'adressa de son côté à tous les combattants : « Sires et très vaillants soldats du Christ, voici qu'un pressant combat nous enserre de toutes parts. Que tous aillent donc virilement à la rencontre de l'ennemi, pendant que les piétons déploieront prudemment et vivement les tentes. »

Quand tout cela fut fait, les Turcs étaient déjà en train de nous encercler, combattant, lançant des javelots, jetant des flèches en long et en large de merveilleuse façon. Nous étions incapables de leur résister et de supporter le poids de tant d'ennemis ; pourtant, nous soutînmes notre marche en avant d'un cœur unanime. Il y avait aussi nos femmes : elles furent pour nous, ce jour-là, d'un très grand secours, apportant de l'eau à nos combattants pour les désaltérer et, si je ne m'abuse, toujours présentes pour les réconforter, au combat et à la défense. Le sage Bohémond fit aussitôt savoir aux autres – au comte de Saint-Gilles, au duc Godefroy, à

Hugues le Grand, à l'évêque du Puy, à tous les autres soldats du Christ — qu'ils devaient se dépêcher de rejoindre au plus vite le combat : « ...Et s'ils veulent aujourd'hui prendre part à la lutte, qu'ils arrivent virilement ! » C'est ainsi que le duc Godefroy, l'audace et la vaillance mêmes, et Hugues le Grand arrivèrent ensemble les premiers avec leurs troupes, suivis par l'évêque du Puy avec la sienne et, juste après, le comte de Saint-Gilles avec sa gent nombreuse.

Les nôtres se demandaient d'où était sortie une telle multitude de Turcs, Arabes, Sarrasins et autres, que je suis incapable d'énumérer : à peu près toutes les montagnes, collines, vallées, toutes les plaines, à l'intérieur et à l'extérieur, étaient de toutes parts recouvertes de cette race d'excommuniés. Il courut alors entre nous, en confidence, une parole de louange et de résolution ; nous nous disions les uns aux autres : « Soyez à tous égards unanimes dans la foi du Christ et la victoire de la sainte Croix car aujourd'hui, s'il plaît à Dieu, vous deviendrez tous riches. »

Sur-le-champ furent ordonnés nos corps de troupes : à gauche, étaient le sage Bohémond, Robert le Normand, Tancrède le prudent, Robert d'Anse, Richard de la Principauté ; l'évêque du Puy passa sur l'autre hauteur, contribuant ainsi à cerner de toutes parts les Turcs, ces incrédules ; à gauche, encore, chevauchait le très vaillant chevalier Raymond, comte de Saint-Gilles. A droite étaient le duc Godefroy, le très ardent chevalier, comte de Flandre, Hugues le Grand et plusieurs autres dont les noms m'échappent.

Dès l'arrivée de nos chevaliers, les Turcs, Arabes, Sarrasins, Angulans, toutes les peuplades barbares se hâtèrent de prendre la poudre d'escampette à travers les raccourcis de la montagne et à travers les plaines. Les Turcs, Publicains, Sarrasins, Angulans et autres païens étaient trois cent soixante mille, sans compter les Arabes, dont nul ne connaît le nombre, si ce n'est Dieu, et Dieu seul ! Ils s'enfuirent au grand galop vers leurs tentes, où ils n'eurent pas loisir de faire longue halte : ils reprirent la fuite et nous les poursuivîmes en les tuant toute une journée. Nous fîmes un important butin : or, argent, chevaux, ânes, chameaux, brebis, bœufs, beaucoup d'autres biens que nous ignorons. Si le Seigneur n'avait été avec nous dans la bataille et ne nous avait envoyé l'autre armée, aucun des nôtres n'eût réchappé, car le combat fut interrompu de neuf heures du matin à trois heures de l'après-midi. Mais Dieu tout-puissant, pieux et miséricordieux, n'a pas permis que ses chevaliers périssent ou tombassent entre les mains de l'ennemi, et il s'est hâté de nous envoyer du secours. Nous eûmes pourtant là des morts : deux nobles chevaliers, à savoir Godefroy de Mont-Galeux et Guillaume fils du marquis, le frère de Tancrède ; et encore d'autres chevaliers et des piétons dont j'ignore les noms.

Qui sera jamais assez sage ou savant pour oser décrire la prudence, l'esprit guerrier et la vaillance des Turcs ? Ils s'imaginaient terrifier le peuple des Francs par la menace de leurs flèches, comme ils avaient terrifié les Arabes, les Sarrasins, les Arméniens, les Syriens, les Grecs. Mais, s'il plaît à Dieu, jamais ils ne vaudront les nôtres. Cela ne les empêche pas de se dire de la race des Francs et d'assurer qu'il n'est d'authentiques chevaliers que les Francs et eux. Je vais dire une vérité que personne n'osera contester : s'ils avaient toujours été fermes dans la foi du Christ et dans le christianisme saint ; s'ils avaient accepté de confesser un seul seigneur en trinité ; si, dans la droiture de l'esprit et de la foi, ils avaient cru au fils de Dieu né d'une vierge mère, qui a souffert, est ressuscité des morts le troisième jour, est monté au ciel à la vue de ses disciples, a envoyé la consolation parfaite de l'Esprit-Saint, régnant lui-même dans le ciel et sur la terre, personne n'aurait pu se trouver qui les surpassât en puissance, en vaillance, en ingéniosité dans les combats. Et cependant, par la grâce de Dieu, ils ont été vaincus par les nôtres ! Cette bataille eut lieu un 1er juillet.

LA TRAVERSÉE DU DÉSERT

Après la déroute complète des Turcs, ennemis de Dieu et de la sainte chrétienté, qui s'enfuirent dans tous les sens pendant quatre jours et quatre nuits, il arriva que Soliman, leur chef, fils de Soliman le Vieux, qui avait fui de Nicée, rencontra dix mille Arabes. Ils lui dirent : « Ô infortuné et plus infortuné que tous les peuples du monde, pourquoi t'enfuis-tu épouvanté ? » Soliman leur répondit dans les larmes : « Voici pourquoi : naguère, j'avais vaincu tous les Francs et les croyais déjà en captivité ; je voulais les garrotter patiemment, l'un après l'autre ; je me retourne ; que vois-je ? Le peuple qu'ils formaient était si innombrable que, si vous ou quiconque eussiez été présents, il vous eût semblé que toutes les montagnes, collines, vallées, que toutes les plaines étaient emplies de leur multitude. A cette vue, nous avons donc aussitôt changé de direction, si prodigieusement effrayés que c'est à peine si nous leur avons échappé des mains. Nous en sommes encore tout épouvantés. Si vous vouliez bien me croire, moi et mes paroles, vous vous retireriez : s'ils peuvent seulement savoir votre présence, à peine un seul d'entre vous échappera vivant ! » Eux, entendant ces paroles, firent demi-tour et se répandirent à travers toute la Romanie.

Alors, nous allâmes, poursuivant les Turcs pleins d'iniquité qui tous les jours fuyaient devant nous. Quand ils atteignaient une place ou encore une ville, ils mentaient et se jouaient des habitants du pays. « Nous avons défait tous les chrétiens, leur disaient-ils, et notre victoire sur eux est telle que nul d'entre eux ne pourra jamais plus se dresser devant nous. Laissez-nous seulement entrer ! » Une fois entrés, ils pillaient les églises, les maisons, tout le reste, et emmenaient avec eux les chevaux, les ânes, les mulets, l'or, l'argent, tout ce qu'ils pouvaient trouver d'autre. Ils allaient même jusqu'à enlever les fils de chrétiens, à brûler et à dévaster tout ce qui présentait intérêt ou utilité, fuyant et tremblant devant notre face. Nous les poursuivions à travers des déserts et une terre sans eau, et inhabitable, d'où nous eûmes du mal à réchapper ou sortir. La faim et la soif nous pressaient de toutes parts ; nous n'avions strictement rien à manger, à moins d'arracher et de frotter entre nos mains des épineux, et de vivre d'un tel mets, le plus misérablement du monde. Là mourut la plus grande partie de nos chevaux, en sorte que beaucoup de nos chevaliers se retrouvèrent piétons. La pénurie de chevaux nous faisait utiliser des bœufs en guise de destriers et, en raison de l'urgente nécessité, nous nous faisions suivre de chèvres, de moutons et de chiens pour le portage.

Là-dessus, nous pénétrâmes dans une terre excellente, pleine de nourritures terrestres, de délices, de toutes sortes de biens et, à partir de là, approchâmes d'Iconium. Les habitants nous conseillèrent, nous recommandèrent d'emporter avec nous des outres pleines d'eau, parce que nous attendait, sur un trajet d'une journée, une totale pénurie d'eau. Nous suivîmes leur conseil et nous arrivâmes devant un fleuve près duquel nous campâmes pendant deux jours. Nos coureurs engagèrent une opération de reconnaissance qui les mena jusqu'à Héraclée. Là, se trouvait une grosse concentration de Turcs ; ils attendaient en embuscade de trouver moyen de nuire aux soldats du Christ. Les soldats du Dieu tout-puissant les découvrirent et les attaquèrent avec audace. Nos ennemis furent défaits, ce jour-là, et s'enfuirent à la vitesse d'une flèche lancée d'un coup vigoureux par la corde d'un arc. Les nôtres entrèrent donc aussitôt dans Héraclée, où nous demeurâmes quatre jours.

Là, firent bande à part Tancrède, le fils du marquis, et le comte Baudouin, frère du duc Godefroy. Ils entrèrent ensemble dans la vallée de Botrenthrot. Tancrède fit une seconde fois bande à part et il partit pour Tarse avec ses chevaliers. Les Turcs sortirent de la ville et vinrent à leur rencontre. Soudés en un seul corps, ils se hâtèrent au combat contre les chrétiens. Mais, à l'approche de nos combattants, nos ennemis prirent la fuite et rentrèrent dans la ville à vive allure. Tancrède, soldat du Christ, arriva à bride abattue et campa devant la porte de Tarse.

De son côté, arriva le comte Baudouin avec son armée ; il demanda à Tancrède de l'admettre en toute amitié au partage de la cité. Tancrède lui répondit : « Je refuse absolument ce partage avec toi. » La nuit survenant, tous les Turcs épouvantés prirent la fuite. Alors, dans l'obscurité de la nuit, sortirent les habitants de la cité. Ils clamaient haut et fort : « Accourez, invincibles Francs, accourez : les Turcs sont talonnés par la peur de vous, et ils se retirent tous ensemble ! »

Le jour levé, vinrent les notables de Tarse qui rendirent spontanément la cité. Ils disaient à ceux qui se disputaient à ce sujet : « Laissez donc, sires, laissez faire ! Nous voulons et demandons que domine et règne sur nous ce chevalier qui hier s'est si virilement battu avec les Turcs. » Baudouin, le comte merveilleux, se querellait et chicanait avec Tancrède, disant : « Entrons ensemble et pillons la cité. A qui peut l'avoir, la plus grosse part ! La plus grosse part à qui peut la prendre ! » Le très vaillant Tancrède lui rétorqua : « Pas question ! Je ne veux pas dépouiller des chrétiens. Les hommes de cette cité m'ont choisi pour maître ; c'est moi qu'ils veulent. » Mais le vaillant Tancrède ne put continuer à lutter indéfiniment contre le comte Baudouin, parce que celui-ci disposait d'une grande armée. Bon gré mal gré, il abandonna Tarse et se retira virilement avec son armée. Aussitôt lui furent livrées deux cités excellentes, à savoir Adana et Manustra, avec un très grand nombre de forteresses.

De son côté, la grande armée – Raymond comte de Saint-Gilles, le très docte Bohémond, le duc Godefroy, plusieurs autres –, altérée et avide de boire le sang des Turcs, entra dans le pays des Arméniens.

Ils finirent par atteindre une place si solide qu'ils ne purent rien contre elle. Il y avait là un homme du nom de Siméon, originaire de la région. Il demanda cette terre pour la défendre en l'arrachant aux mains des Turcs ennemis. Ils la lui donnèrent spontanément et il y resta avec les siens. Quant à nous, partant de là, nous parvînmes heureusement à Césarée de Cappadoce. Au sortir de la Cappadoce, nous atteignîmes une cité magnifique et opulente. Peu avant notre arrivée, les Turcs l'avaient assiégée pendant trois semaines sans en venir à bout. Nous n'étions pas plus tôt arrivés qu'elle se rendit sur le champ, en grande liesse. Un chevalier nommé Pierre des Alpes la demanda à tous les seigneurs, afin de la garder dans la fidélité de Dieu et du Saint-Sépulcre, des seigneurs et de l'empereur. En grand amour, ils la lui accordèrent gracieusement. La nuit suivante, Bohémond apprit que les Turcs, qui avaient renoncé au siège, nous précédaient fréquemment. Avec ses seuls chevaliers, il eut tôt fait de se préparer à les éliminer mais ne put mettre la main sur eux.

Nous arrivâmes ensuite à une ville appelée Coxon, où se trouvaient à profusion tous les biens qui nous étaient nécessaires. Les chrétiens qui l'habitaient se rendirent aussitôt, et nous fûmes là comme des coqs en pâte pendant trois jours ; les nôtres se refirent des forces.

Apprenant que les Turcs qui étaient à la garde d'Antioche s'en étaient retirés, le comte Raymond eut l'idée en son conseil d'envoyer là quelques-uns de ses chevaliers, pour en assurer diligemment la garde ; après quoi il fixa son choix sur ceux qu'il voulait pour cette mission : c'étaient le vicomte Pierre de Châtillon, Guillaume de Montpellier, Pierre de Roaix, Pierre-Raymond d'Hautpoul, avec cinq cents chevaliers. Ils arrivèrent, dans une vallée près d'Antioche, à une place de publicains. Ils apprirent que les Turcs étaient dans la cité qu'ils se préparaient à défendre vaillamment. Pierre de Roaix fit bande à part et, la nuit suivante, longea Antioche, la dépassa et pénétra dans la vallée de Rugia. Il y trouva des Turcs et des Sarrasins. Il en vint aux mains avec eux, en tua un grand nombre et poursuivit les autres énergiquement. Les Arméniens, habitants de la contrée, voyant qu'il avait vaillamment triomphé des païens, se rendirent incontinent. Il prit la cité de Rusa et quantité de forts.

Nous étions restés à Coxon ; nous en sortîmes et entrâmes dans une montagne diabolique, si haute et étroite que, sur le sentier qui s'ouvrait à son flanc, nul d'entre nous n'osait dépasser son devancier. Dégringolaient les destriers, et l'un sur l'autre les sommiers. Les chevaliers manifestaient leur désespoir : dans l'excès de leur désolation et de leur douleur, ils se labouraient le corps, ne sachant quoi faire de leurs personnes et de leurs armes, vendant leur bouclier et une cuirasse en parfait état, avec le casque, pour seulement trois à cinq deniers, ou pour ce qu'ils pouvaient en obtenir. Ceux qui ne trouvaient pas à les vendre s'en débarrassaient en les jetant pour rien, et continuaient.

En sortant de la montagne maudite, nous parvînmes à une cité appelée Marasch. Les indigènes vinrent à notre rencontre, tout joyeux, nous apportant force ravitaillement, et nous eûmes là toute espèce d'abondance en attendant l'arrivée du seigneur Bohémond. Puis, nos combattants atteignirent la vallée où est sise la cité royale d'Antioche, capitale de toute la Syrie, que le Seigneur Jésus remit au bienheureux Pierre, prince des apôtres, pour qu'il la rappelât au culte de la sainte foi, lui qui vit et règne avec Dieu le Père dans l'unité du Saint-Esprit, Dieu pour tous les siècles des siècles. Amen !

ILS ONT FAIM !

Nous commencions à approcher de Pont-de-Fer [22] quand nos coureurs, habitués à toujours nous précéder, trouvèrent devant eux une masse incalculable de Turcs ; ils couraient au secours d'Antioche. Les nôtres se jetèrent sur eux d'un seul cœur et d'un seul esprit et les vainquirent. Les barbares furent épouvantés, prirent la fuite et, parmi eux, il y eut beaucoup de morts dans ce combat. La victoire procura aux nôtres, par la grâce de Dieu, un abondant butin : chevaux, chameaux, mulets, ânes chargés de blé et de vin.

Les nôtres atteignirent le fleuve et y établirent leur camp. Aussitôt, Bohémond, l'homme sage, vint avec quatre mille combattants monter la garde devant une porte de la cité : il s'agissait de surveiller, pendant la nuit, les sorties et les entrées secrètes. Le lendemain, les Francs parvinrent à Antioche. C'était le mercredi 21 octobre, vers midi. Nous assiégeâmes à merveille trois portes de la ville : de l'autre côté, nous n'avions pas la place, étant coincés par une montagne élevée et très étroite. Nos ennemis les Turcs, à l'intérieur de la ville, avaient une telle peur de nous qu'aucun d'eux n'osa attaquer l'un des nôtres pendant près de quinze jours. Bientôt, nous prîmes nos quartiers autour d'Antioche et trouvâmes là toute espèce d'abondance : vignes chargées de grappes, fosses pleines de blé, arbres couverts de fruits et beaucoup d'autres biens utiles au corps.

Des Arméniens et des Syriens, qui étaient à l'intérieur de la ville, sortant et faisant mine de déserter, venaient tous les jours avec nous, ne laissant que leurs femmes dans la cité. Ils se renseignaient ingénieusement sur nous et nos caractéristiques et rapportaient tout à ces excommuniés enfermés dans la ville. Quand les Turcs en surent assez long sur notre nature profonde, ils se risquèrent peu à peu à sortir de la ville et à coincer nos pèlerins ; ce n'est pas seulement d'un côté mais partout qu'ils étaient cachés sur notre passage, côté mer et côté montagne.

Non loin, se trouvait le fort d'Harenc, où étaient rassemblés beaucoup de Turcs d'élite qui, fréquemment, inquiétaient les nôtres. Nos seigneurs furent désolés de l'apprendre et ils envoyèrent quelques hommes d'armes pour explorer en diligence le lieu où se trouvaient ces

Turcs. Ayant découvert leur cachette, nos hommes d'armes, partis à leur recherche, allèrent à leur rencontre. Ils reculaient progressivement vers l'endroit où ils savaient que se trouvait Bohémond avec son armée, quand soudain il y eut deux morts parmi les nôtres. A la nouvelle, Bohémond s'élança avec les siens, en très vaillant athlète du Christ [23]. Les barbares se ruèrent contre eux, d'autant plus que les nôtres n'étaient qu'une poignée. Pourtant, la mêlée s'engagea et le combat eut lieu. Il y eut beaucoup de morts parmi nos ennemis. D'autres furent faits prisonniers et emmenés devant la porte de la ville où on les décapita, pour augmenter la détresse des assiégés.

Certains sortaient de la cité assiégée, montaient sur une porte et nous lançaient des flèches. C'est ainsi qu'il en tomba dans le prétoire du seigneur Bohémond. Une femme fut tuée d'un coup de flèche.

Tous nos chefs se réunirent et se constituèrent en assemblée. Ils dirent : « Faisons une fortification au sommet du mont Malregard : nous serons en sécurité et à l'abri de la terreur des Turcs. » La fortification fut faite et équipée ; tous les chefs en assuraient la garde à tour de rôle.

Avant la Noël, déjà le blé et toutes les provisions de bouche avaient commencé à enchérir. Nous n'osions absolument pas nous aventurer au-dehors et, en terre chrétienne, nous n'aurions absolument rien pu trouver à manger. Quant à entrer en terre sarrasine, personne n'osait s'y risquer sans bonne escorte. A la fin, nos seigneurs tinrent une assemblée où ils prirent les mesures nécessaires au gouvernement de peuples si nombreux : ils décidèrent qu'une partie d'entre nous irait en diligence au ravitaillement, en assurant de toutes parts la protection de l'armée, tandis que les autres resteraient fermes à la garde du camp. Bohémond prit la parole : « Seigneurs et très prudents chevaliers, si vous en êtes d'accord et qu'il vous semble bon, c'est moi qui irai avec le comte de Flandre. »

Les solennités de la Nativité furent célébrées en grande pompe un lundi. Puis ils partirent, avec plus de vingt mille chevaliers et piétons, et arrivèrent sains et saufs en terre sarrasine. Il y avait là rassemblés beaucoup de Turcs, d'Arabes, de Sarrasins, venus de Jérusalem, de Damas, d'Alep, d'autres régions : ils arrivaient en renfort pour défendre Antioche. En apprenant qu'une armée de chrétiens était arrivée sur leur terre, sur-le-champ ils se préparèrent au combat et, au point du jour, arrivèrent à l'endroit où notre armée était rassemblée. Les barbares se divisèrent en deux lignes de combat, l'une devant, l'autre derrière, dans l'espoir de nous encercler totalement. Mais l'éminent comte de Flandre, armé de pied en cap du gouvernail de la foi et du signe de la croix, qu'il portait chaque jour fidèlement, se précipita sur eux en même temps que Bohémond. Les nôtres, d'un seul élan, se ruèrent sur eux. Aussitôt, ils prirent la fuite, tournant précipitamment les talons, et ils eurent beaucoup de morts, dont les nôtres raflèrent les chevaux et autres dépouilles. Ceux qui restèrent en vie s'enfuirent en vitesse. Ils s'en sont allés dans la colère de perdition[24]. Quant à nous, revenant avec une grande sarabande de joie, nous louâmes et magnifiâmes Dieu trin et un, qui vit et règne maintenant et pour l'éternité. Amen !

LES FLAMMES DE L'ORIFLAMME

Les Turcs, ennemis de Dieu et de la sainte chrétienté, qui se trouvaient à l'intérieur d'Antioche à la garde de la cité, apprirent que le seigneur Bohémond et le comte de Flandre avaient quitté le siège. Ils firent des sorties. Ils venaient avec audace nous provoquer au combat, tendant des embuscades partout où le siège languissait, sachant les très prudents chevaliers au dehors. Ils se mirent en tête, un mardi, de nous porter obstacle et dommage.

Ils vinrent, ces barbares pleins d'iniquité, la nuit, et ils se jetèrent sur nous avec violence, tuant beaucoup de nos chevaliers et piétons qui n'étaient pas sur leurs gardes. L'évêque du Puy, en cette amère journée, perdit son sénéchal, qui conduisait et commandait sa bannière. Sans le fleuve entre eux et nous, ils nous auraient encore plus souvent attaqués, causant très grand dommage à notre gent.

Le prudent Bohémond rentrait alors avec son

armée de la terre des Sarrasins. Il passa par la montagne de Tancrède[25], pensant qu'il pourrait y trouver peut-être quelque chose à emporter. Ils avaient mis en effet tout le pays à sac, les uns trouvant leur bien, les autres revenant les mains vides. C'est alors que le sage Bohémond les réprimanda ainsi : « Ô infortunée et très misérable gent ! ô la plus vile de toute la chrétienté ! Pourquoi êtes-vous si pressés de rentrer ? Attendez, attendez donc que nous soyons rassemblés dans l'unité ; n'errez pas comme des brebis privées de pasteur ! Si nos ennemis vous trouvent errants, ils vous tueront, parce que jour et nuit ils veillent, dans l'espoir de vous trouver dispersés ou seuls, et qu'ils œuvrent chaque jour à vous tuer ou conduire en captivité. »

Ayant terminé son discours, il revint à son ost avec les siens, plus légers qu'encombrés.

Les Arméniens et les Syriens, voyant que les nôtres étaient rentrés les mains absolument vides, se concertèrent et s'en allèrent dans les montagnes et lieux susdits dénicher du blé et autres provisions de bouche, qu'ils achetaient et rapportaient au camp où la faim était inimaginable. Ils vendaient la charge d'un seul âne huit hyperpres, ce qui équivalait à cent vingt deniers. Alors sont morts beaucoup des nôtres qui n'avaient pas les moyens d'acheter si cher.

Guillaume le Charpentier et Pierre l'Ermite, devant cette immensité d'infortune et de misère, s'enfuirent en secret. Tancrède les poursuivit, les captura et les ramena avec lui dans le déshonneur. Ils jurèrent leur dextre et leur foi de rentrer de plein gré à l'ost et d'y faire amende honorable devant les seigneurs. Toute une nuit, Guillaume fut gisant dans la tente de Bohémond, comme un objet maudit. Le lendemain, au petit jour, il comparut, rougissant, en présence de Bohémond, qui s'adressa à lui en ces termes : « Ô infortuné ! Infamie de la France entière ! Déshonneur et crime des Gaules ! Ô le plus scélérat de tous ceux que supporte la terre ! Pourquoi t'es-tu si honteusement enfui ? Peut-être voulais-tu livrer ces chevaliers et l'armée du Christ, comme tu en as déjà livré d'autres en Espagne ? » Il resta aussi muet qu'une carpe : aucune parole ne sortit de sa bouche. Presque tous les Français se réunirent et supplièrent humblement le seigneur Bohémond de ne pas le châtier davantage. Il consentit, le visage serein, et dit : « Pour l'amour de vous, j'y consentirai volontiers si, de tout son cœur et de tout son esprit, il me jure de ne plus jamais abandonner le chemin de Jérusalem, pour le meilleur et pour le pire, et si Tancrède consent à ce qu'il ne lui soit causé aucune contrariété, ni de son fait, ni de celui des siens. » Tancrède, ayant entendu ces paroles, fit de plein gré la concession demandée. Bohémond aussitôt le laissa aller. Mais, par la suite, le Charpentier, saisi d'une extrême turpitude, ne tarda pas à déserter furtivement.

Telles étaient la pauvreté et la misère que Dieu nous avait réservées pour nos péchés : dans l'ost tout entier, on n'eût pu trouver mille chevaliers ayant cheval en parfait état.

Là-dessus, l'ennemi Tetigus [26] fut informé que des armées de Turcs marchaient contre nous. Il dit qu'il avait peur. Nous estimant déjà tous morts ou tombés aux mains de l'ennemi, il forgea de toutes pièces le mensonge suivant : « Seigneurs et hommes de grande prudence, voyez que nous sommes ici en extrême nécessité, sans que de nulle part nous arrive aucun secours. Laissez-moi donc rentrer en Romanie, dans ma patrie. Sans un instant d'hésitation, je vous ferai expédier par mer toute une flotte chargée de blé, de vin, d'orge, de viande, de farine, de fromages, de tous les biens qui nous sont nécessaires. Je vous ferai aussi amener des chevaux à vendre, et acheminer du ravitaillement par terre, à travers le territoire qui est dans la fidélité de l'empereur. De tout cela vous ferai loyal serment et veillerai à la réalisation. De plus, je laisse au camp ma domesticité avec mon pavillon : voyez là garantie assurée de mon retour rapide. »

Telle fut la fin de son discours. S'en alla cet ennemi, laissant au camp tous ses biens. Dans le parjure, il reste et restera. Telle était l'extrême nécessité qui pesait sur nous : les Turcs nous pressaient de toutes parts, en sorte qu'aucun de nous n'osait sortir des tentes ; d'un côté, ils nous tenaient à la gorge, de l'autre, la faim nous torturait. Et nous étions privés de tout secours et de toute aide. Le menu peuple, le plus pauvre, fuyait à Chypre, en Romanie, dans les montagnes. Nous n'osions surtout pas aller vers la mer, par peur des exécrables Turcs. Nulle part ne s'ouvrait à nous aucune issue.

Le seigneur Bohémond apprit qu'une armée innombrable de Turcs marchait contre nous. Précautionneusement, il vint trouver les autres seigneurs, leur disant : « Sires et très prudents chevaliers, qu'allons-nous faire ? Nous ne sommes pas assez nombreux pour pouvoir combattre sur deux fronts. Savez-vous ce que nous ferons ? Séparons-nous en deux groupes : que les piétons restent sans désemparer à la garde des pavillons ; ils suffiront pour tenir tête à ceux qui sont dans la cité. Que, de leur côté, les chevaliers viennent avec nous au-devant de nos ennemis cantonnés près d'ici au fort d'Harenc, au-delà de Pont-de-Fer. »

A la brune, sortit des tentes Bohémond le

prudent, avec les autres très prudents chevaliers, et il alla coucher entre le fleuve et le lac. Au petit jour, il donna ordre à ses éclaireurs d'aller droit devant eux voir combien il y avait d'escadrons de Turcs et où ils étaient, ou en tout cas ce qu'ils faisaient. Ils allèrent et entreprirent de chercher habilement où étaient cachées les lignes turques. Ils finirent par apercevoir d'innombrables Turcs qui arrivaient séparément de la direction du fleuve, divisés en deux corps ; la force principale venait en arrière. Les éclaireurs revinrent rapidement, disant : « Les voilà ! les voilà ! ils arrivent ! Soyez tous prêts : ils sont sur nous ! » Le sage Bohémond dit aux autres : « Seigneurs et invincibles chevaliers, rangez-vous respectivement en bataille. » Eux répondirent : « Tu es sage et prudent, tu es grand et magnifique, tu es vaillant et victorieux, tu es l'arbitre des combats et le juge des affrontements ! Charge-toi de tout, que tout repose sur toi ; tout ce qui te paraît bon, fais-le nous faire, à nous et à toi. »

Alors, Bohémond donna ordre à chacun des généraux de prendre, en bon ordre, la direction de son corps de troupe. Ils s'exécutèrent. Furent ordonnés six corps de troupe. Cinq d'entre eux se rassemblèrent pour marcher à l'assaut de l'ennemi. Bohémond s'avançait pas à pas à l'arrière avec le sien. Les nôtres réussirent la jonction avec l'ennemi ; ce fut alors le corps à corps. Une clameur résonnait jusqu'au ciel ; tout le monde se battait en même temps ; des pluies de traits ennuageaient l'air.

A l'arrivée du gros de leur armée, qui se trouvait en arrière, les Turcs nous attaquèrent avec une telle violence que nous reculâmes pas à pas. Le très docte Bohémond se prit à gémir. Il appela son connétable qui était Robert, fils de Gérard, et lui prescrivit ceci : « Va le plus vite que tu peux, en vaillant, et sois ardent au secours de Dieu et du Saint-Sépulcre. Sache en vérité que ce combat n'est pas charnel mais spirituel. Sois donc le très vaillant athlète[27] du Christ. Va en paix. Le Seigneur soit partout avec toi ! » Le connétable était de toutes parts muni du signe de la croix. Il ressemblait à un lion qui a souffert la faim trois ou quatre jours et sort de son antre en rugissant, altéré du sang des troupeaux ; il se rue comme à l'improviste au milieu des colonnes de bétail, et met en pièces les brebis qui fuient en tous sens. Ainsi se comportait le connétable au milieu des colonnes de Turcs. Il les poursuivait avec tant de fougue que les langues de l'oriflamme [28] voletaient au-dessus de leurs têtes.

Les autres corps d'armée, en voyant l'oriflamme de Bohémond portée si vaillamment en première ligne, arrêtèrent sur-le-champ leur retraite. D'un seul élan, ils chargèrent les Turcs qui, tous, saisis de stupeur, prirent la fuite. Les nôtres les poursuivirent et les sabrèrent à plein corps, jusqu'à Pont-de-Fer. Les Turcs regagnèrent précipitamment leur camp, y prirent tout ce qui leur tombait sous la main, y mirent le feu et s'enfuirent. Des Arméniens et des Syriens, informés que les Turcs avaient complètement perdu la bataille, sortirent se poster en embuscade dans les défilés et en tuèrent ou capturèrent un grand nombre.

Ainsi, ce jour-là, nos ennemis furent-ils écrasés avec l'approbation de Dieu. Les nôtres récupérèrent bonne quantité de chevaux et d'autres biens qui leur étaient de première nécessité. Ils apportèrent cent têtes de morts devant la porte d'Antioche, là où avaient établi leur camp les ambassadeurs de l'émir de Babylone [29] envoyés à nos seigneurs. Ceux qui étaient restés aux tentes s'étaient battus tout le jour contre la garnison d'Antioche devant trois portes de la cité.

Cette bataille eut lieu le 9 février, le mardi précédant le carême, avec l'appui de Notre Seigneur Jésus-Christ, qui vit et règne avec le Père et le Saint-Esprit, Dieu à travers l'immortalité des siècles des siècles. Amen !

LES TÊTES DE TURCS

Les nôtres s'en revinrent, grâce à Dieu, triomphants et se réjouissant de leur triomphe. La défaite des ennemis était complète : totalement écrasés, fuyant sans trêve, vaguant et errant çà et là, ils pénétrèrent les uns dans le Khorassan, les autres dans la terre des Sarrasins.

Mais nos chefs constatèrent que la garnison d'Antioche nous mettait à mal et nous tenait à la gorge jour et nuit : elle veillait et guettait pour trouver le côté par où elle arriverait à nous entamer. Ils s'assemblèrent et dirent : « Plutôt que de perdre notre gent, élevons une fortification vers la Mahomerie [30] qui est devant la porte de la ville, là où il y a un pont. Peut-être pourrons-nous là, à notre tour, serrer nos ennemis à la gorge. »

Tous furent d'accord et louèrent ce projet comme une bonne idée. Le comte de Saint-Gilles prit l'initiative de dire : « Donnez-moi de l'aide pour élever la fortification, et je me chargerai de l'équiper et de la conserver. » Bohémond répondit : « Si vous le voulez bien, vous et les autres, j'irai avec vous à Port-Saint-Siméon [31] chercher en diligence les hommes qui sont là-bas, afin qu'ils accomplissent cet ouvrage. Que ceux qui vont rester s'équipent de toutes parts pour leur défense. » Ainsi fut fait.

Le comte et Bohémond s'en allèrent donc à Port-Saint-Siméon. Nous qui étions restés, rassemblés dans l'unité, nous commencions la fortification, quand les Turcs, séance tenante, se préparèrent, et sortirent de la cité à notre devant pour nous combattre ; ils se jetèrent sur nous, mirent les nôtres en fuite et en tuèrent plusieurs, ce qui nous plongea en grande tristesse.

Le lendemain, les Turcs s'aperçurent de l'absence de nos chefs et apprirent qu'ils étaient partis la veille pour le port. Ils se préparèrent et allèrent les surprendre à leur retour du port. En voyant le comte et Bohémond ramenant leurs gens, ils se mirent bientôt à glapir, à caqueter, à brailler à pleins poumons, enveloppant de toutes parts les nôtres, les criblant de javelots et de flèches, les blessant et les sabrant cruellement à plein corps. Leur assaut fut si vif que les nôtres prirent la fuite en pleine montagne et partout où s'ouvrait une issue. Qui put échapper à vive allure se retrouva en vie ; qui ne put fuir trouva la mort. Subirent en ce jour le martyre plus d'un millier des nôtres, chevaliers et piétons. Nous le croyons, ils sont montés au ciel où, tout de blanc vêtus, ils ont revêtu la robe du martyre.

Bohémond n'avait pas gardé le même chemin qu'eux, mais, avec une poignée de chevaliers, revint rapidement près de nous, qui étions rassemblés dans l'unité, nous annonçant ce qui arrivait à ses compagnons. Alors, exaspérés par le massacre des nôtres, ayant invoqué le nom du Christ et confiants dans la réussite du voyage vers le Saint-Sépulcre, nous parvînmes, au coude à coude, à engager le combat contre eux, et les attaquâmes d'un seul cœur et d'une seule âme. Nos ennemis — ennemis et de nous et de Dieu — étaient désormais totalement stupéfaits, profondément terrifiés ; eux qui croyaient nous vaincre et nous massacrer, comme ils avaient fait de l'escorte du comte et de Bohémond, Dieu tout-puissant ne le leur a pas permis. Les soldats du vrai Dieu, armés de pied en cap du signe de la croix, se jetèrent donc vivement sur eux et les assaillirent vaillamment. Eux prirent rapidement la fuite en essayant de traverser le pont étroit, près de l'entrée qui menait vers les leurs. La cohue des hommes et des chevaux mêlés les empêcha d'arriver vivants sur l'autre rive. Ils ont trouvé là une mort éternelle, dans la compagnie du diable et de ses anges.

C'est ainsi que nous triomphâmes d'eux, les poussant et les précipitant dans le fleuve, dont les flots rapides semblaient partout couler rouges du sang des Turcs. Si, d'aventure, l'un d'eux essayait de ramper sur une pile du pont, ou de gagner la terre à la nage, il était blessé par les nôtres massés sur la rive. La rumeur et la clameur des nôtres et d'eux résonnaient jusqu'au ciel. Des pluies de traits et de flèches obscurcissaient le firmament et la clarté du jour. Les chrétiennes d'Antioche venaient aux meurtrières contempler le destin misérable des Turcs, applaudissant des deux mains en cachette. Les Arméniens et les Syriens, sur ordre des officiers turcs, de gré ou de force, nous lançaient des flèches. Il mourut d'âme et de corps en ce combat douze émirs de l'armée turque, et d'autres très prudents et vaillants guerriers parmi les meilleurs défenseurs de la cité, au nombre de mille cinq cents. Ceux qui étaient restés vivants n'osaient plus brailler ou caqueter ni jour ni nuit, selon leur habitude. Il fallut la nuit pour venir à bout de tous, de nous comme d'eux, la nuit qui sépara les deux parties en plein combat, sous la pluie des javelots, des dards et des flèches. C'est ainsi que nous avons écrasé nos ennemis, par la puissance de Dieu et du Saint-Sépulcre, et jamais par la suite ils ne retrouvèrent la même vigueur qu'auparavant, ni dans la voix ni dans l'action. Quant à nous, nous nous refîmes bien ce jour-là en produits qui nous étaient nécessaires et en chevaux.

Le lendemain, au lever du jour, d'autres Turcs sortirent de la cité, et ils rassemblèrent tous les cadavres fétides de leurs morts qu'ils purent trouver sur la rive du fleuve, mis à part ceux qui étaient cachés dans le lit du fleuve ; ils les ensevelirent près de la Mahomerie d'au-delà du pont, devant la porte de la ville, et ils ensevelirent en même temps qu'eux des manteaux, des besants, des pièces d'or, des arcs, des flèches, et une foule d'objets que nous sommes incapable d'énumérer. Apprenant que les Turcs avaient inhumé leurs morts, les nôtres se préparèrent tous et vinrent en toute hâte à l'édifice diabolique. Ordre fut donné d'exhumer les cadavres, de briser les tombes, de traîner les corps hors des sépulcres. On jeta tous les cadavres dans une fosse et on emporta les têtes coupées dans nos tentes, pour savoir exactement le nombre de morts – il faut mettre à part le chargement de têtes effectué sur quatre chevaux qu'on envoya jusqu'à la mer aux ambassadeurs de l'émir de Babylone. A ce spectacle, les Turcs furent en extrême affliction, tristes jusqu'à la mort : chaque jour réveillait leur douleur, ils ne faisaient que pleurer et hurler.

Deux jours plus tard, nous nous mîmes, en grande joie, à bâtir la fortification susdite, précisément avec des pierres que nous avions arrachées aux tombeaux des Turcs. L'ouvrage terminé, nous nous mîmes bientôt à presser de toutes parts nos ennemis, dont la morgue était désormais réduite à quia. Nous allions et venions en toute sécurité, côté port et côté montagne, louant et glorifiant notre Dieu, à qui reviennent honneur et gloire à travers tous les siècles des siècles. Amen !

LA TOUR PRENDS GARDE !

Déjà, tous les chemins ou presque étaient interdits et coupés de tous côtés aux Turcs, sinon de ce côté du fleuve où se trouvaient un château et un monastère. Il suffisait de munir à la perfection ce château, et aucun Turc n'oserait plus franchir la porte de la cité. Les nôtres se consultèrent et dirent d'une seule voix : « Choisissons l'un d'entre nous qui tienne vigoureusement ce château et interdise à nos ennemis la montagne, la plaine, l'entrée et la sortie de la ville. » Tancrède, donc, le premier, s'avança devant les autres et dit : « Si je savais quel profit j'en aurais, je fortifierais avec ardeur le château, aidé de mes seuls hommes, et j'interdirais virilement à nos ennemis la route par laquelle ils ont l'habitude de nous trtacasser. » Incontinent, on lui jura quatre cents marcs d'argent.

Sans prendre une minute de repos, Tancrède partit avec ses très honorables chevaliers et sergents et, séance tenante, coupa de toutes parts la voie aux Turcs, si bien qu'aucun d'eux n'osait plus – ils étaient déjà terrifiés par Tancrède – franchir la porte de la ville pour se procurer du fourrage, du bois ou autres produits nécessaires. Tancrède resta là avec les siens et se mit avec ardeur à bloquer de toutes parts la cité.

Le jour même, arrivait en sécurité de la montagne une grande quantité d'Arméniens et de Syriens, apportant des aliments aux Turcs pour soutenir la garnison d'Antioche. Tancrède alla à leur rencontre et les captura avec tout ce qu'ils apportaient : du blé, du vin, de l'orge, de l'huile, et autres denrées du même genre. C'est ainsi que Tancrède déployait sa force et son bonheur, et déjà tenait interdits et coupés aux Turcs tous les chemins, dans l'attente de la chute d'Antioche.

Tout ce que nous avons fait avant la prise de la ville, je ne saurais en épuiser le récit, parce qu'il n'est personne sur les lieux[32], tant clerc que laïque, qui soit en mesure d'écrire ou de raconter de façon exhaustive comment les choses se sont passées. J'en dirai toutefois une infime partie.

Il y avait un émir de race turque nommé Pirrus[33], qui s'était lié d'une grande amitié avec Bohémond. Ils échangeaient souvent des messages où Bohémond l'engageait à se faire recevoir par lui en toute amité au pied de la cité, lui promettant un accès facile au christianisme et lui représentant qu'il le ferait riche et couvert d'honneurs. Le Turc se laissa tenter par ces paroles et ces promesses, et dit : « J'ai trois tours à ma garde ; je les lui promets volontiers : à l'heure qu'il voudra, je l'y accueillerai. » Bohémond avait désormais l'assurance d'entrer dans la cité. Joyeux, l'esprit serein et le visage paisible, il vint à tous les seigneurs et leur tint des propos enjôleurs : « Chevaliers de très grande prudence, leur dit-il, voyez combien nous tous, grands et petits, nous trouvons en excessive pauvreté et misère, ignorant absolument de quel côté pourrait nous venir une amélioration. Donc, si cela vous paraît bon et honorable, que l'un de nous se désigne avant les autres ; si, par quelque moyen, il réussit à s'emparer de la cité, soit par ruse soit par assaut, soit par lui-même, soit par le secours d'autrui, accordons-la lui d'une voix unanime. » Eux, catégoriquement, opposèrent leur refus, en disant : « Cette cité ne sera remise à personne mais nous l'aurons tous à égalité : comme nous avons eu peine égale, ayons aussi honneur égal. » En entendant ces mots, Bohémond réprima un sourire et prestement se retira.

Nous ouïmes peu après des nouvelles de l'armée de nos ennemis, Turcs, Publicains, Angulans, Azymites, et autres très nombreuses peuplades. Aussitôt, tous les chefs se réunirent et tinrent conseil, disant : « Si Bohémond peut s'emparer d'Antioche, soit par lui-même soit par le secours d'autrui, nous la lui donnons tous spontanément, de bon cœur, à une condition : si l'empereur vient à notre aide et accepte de s'acquitter à notre égard dans sa totalité de la convention dont il a fait promesse et serment, nous lui rendrons de droit la ville. Mais dans le cas contraire, que Bohémond l'ait en sa possession ! »

Bientôt, Bohémond se mit à harceler humblement son ami de quotidiennes requêtes, avec de très humbles, très mirifiques et douces promesses ; il lui tenait des propos de ce genre : « Voici en vérité le moment venu de mettre à exécution notre bonne idée. Que mon ami Pirrus vienne donc maintenant à mon aide ! » Lui, tout joyeux, répondit qu'il allait l'aider en tout point comme dû [34]. La nuit suivante, à la tombée du jour, il envoya à Bohémond sous bonne garde son propre fils en gage, comme garantie supplémentaire, avec un message de ce genre : que, pour le lendemain, il fît mettre en branle toute l'armée des Francs ; qu'il fît semblant d'aller ravager la terre des Sarrasins, dissimulât, puis revînt rapidement par la montagne à droite. « Pour moi, ajoutait-il, je serai au guet à attendre ces troupes, et je les recevrai dans les tours que j'ai en mon pouvoir et à ma garde. »

Alors, Bohémond donna ordre de faire venir en diligence auprès de lui l'un de ses sergents, nommé Male Couronne et il lui prescrivit de proclamer, en qualité de héraut, à la très grande armée des Francs d'avoir à se préparer fermement à aller en terre sarrasine. Ainsi fut fait. Bohémond confia son dessein au duc Godefroy et au comte de Flandre, ainsi qu'au comte de Saint-Gilles et à l'évêque du Puy. Il dit : « Si la grâce de Dieu nous favorise, cette nuit nous sera livrée Antioche. »

Tout fut ordonné ainsi : les chevaliers tinrent la plaine et les piétons la montagne. Toute la nuit, ils marchèrent et chevauchèrent, jusqu'à l'aube. Puis ils se mirent à s'approcher des tours que notre fidèle sentinelle [35] gardait de pied ferme. Bohémond sauta aussitôt de cheval et donna cette consigne collective : « Allez, en sécurité et concorde ; montez par l'échelle dans Antioche, qui va sans retard, s'il plaît à Dieu, tomber en notre garde. » Ils arrivèrent à une échelle déjà dressée et solidement arrimée au rempart. Firent l'escalade une soixantaine des nôtres, qui se répartirent entre les tours dont Pirrus avait la garde. En voyant qu'il était monté un si petit nombre des nôtres, celui-ci fut pris d'épouvante, craignant et pour lui et pour les nôtres qu'ils ne tombassent dans les mains des Turcs : « Micro Francos echome [36] ! (c'est-à-dire : Nous avons peu de Francs !) Où est l'impétueux Bohémond ? Où est-il, cet invincible ? » Entre-temps était redescendu un sergent longobard qui courut à toutes jambes dire à Bohémond : « Que restes-tu ici, prudent homme ? Pourquoi es-tu venu ici ? Voici que nous avons déjà trois tours ! » Bohémond s'ébranla avec les autres, et tous parvinrent joyeusement à l'échelle.

Voyant cela, ceux qui étaient déjà dans les tours se mirent à crier d'une voix enjouée : « Dieu le veut ! » Nous répondions par le même cri. Tout de suite, alors, commença l'escalade miraculeuse. Une fois au sommet, on courait à la hâte dans les autres tours. Ceux qu'on trouvait sur son passage, on les livrait à la mort. On tua jusqu'à un frère de Pirrus. Entre-temps se rompit accidentellement l'échelle qui assurait notre escalade. Cet incident nous plongea au comble de l'angoisse et de la détresse. Mais, en dépit de la rupture de l'échelle, il y avait près de nous une porte close, à gauche, dont certains ne s'étaient même pas aperçus. Il faisait nuit, mais en cherchant à tâtons, nous parvînmes à la trouver. Tous, nous y courûmes et, après l'avoir enfoncée, nous entrâmes par cette porte.

Un immense fracas retentissait alors prodigieusement à travers la ville entière. Bohémond ne s'en tint pas là mais, séance tenante, donna ordre de hisser son glorieux étendard face à la citadelle, sur une hauteur. Dans la cité, tous hurlaient en même temps. Au petit jour, ceux qui étaient encore en dehors d'Antioche, dans les tentes, entendirent la violente rumeur qui retentissait par la cité. Ils sortirent en hâte et virent l'étendard de Bohémond hissé sur la hauteur. Ils se précipitèrent tous au pas de course, entrèrent dans la ville par les portes, tuèrent les Turcs et Sarrasins qu'ils trouvèrent là, exception faite de ceux qui avaient fui en haut, dans la citadelle. D'autres Turcs sortirent par les portes et trouvèrent leur salut dans la fuite.

Cassian [37], leur maître, se jeta à tout-va dans la fuite, avec beaucoup d'autres qui étaient avec lui et parvint, en fuyant, dans la terre de Tancrède, non loin de la cité. Leurs chevaux étaient fatigués ; ils s'introduisirent dans un casal [38] et se précipitèrent dans une maison. Mais ils furent reconnus par les habitants, des montagnards syriens et arméniens. Ceux-ci se saisirent à l'instant même de Cassian, le décapitèrent, apportèrent sa tête en présence de Bohémond, espérant en obtenir pour salaire leur liberté. On mit à prix pour soixante besants son ceinturon et son fourreau.

Tout cela se passa un 3 juin. Toutes les places d'Antioche débordaient maintenant de cadavres, en sorte que personne ne pouvait y stationner à cause de la puanteur. On ne pouvait circuler dans les rues sans marcher sur les cadavres.

MATER DOLOROSA

Courbaram [39] était le prince de la milice du sultan de Perse. Quand il était encore dans le Khorassan, il avait à plusieurs reprises reçu une ambassade de Cassian, le priant de le secourir en utile, parce que la très vaillante armée des Francs le mettait en difficulté en l'assiégeant sévèrement dans Antioche ; s'il lui portait secours, ou Cassian lui livrerait la ville, ou il ferait sa fortune par une récompense colossale. Courbaram avait déjà une imposante armée de Turcs, réunie de longue date, et il avait reçu du calife – leur pape – licence de tuer les chrétiens. Il se mit donc en route pour le long voyage d'Antioche.

L'émir de Jérusalem vint en renfort avec son armée. Vint aussi le roi de Damas, avec une grande multitude. Le même Courbaram rassembla des masses innombrables de païens : Turcs, Arabes, Sarrasins, Publicains, Azymites, Kurdes, Persans, Angulans, avec beaucoup d'autres peuples innombrables. Les Angulans – au nombre de trois mille – ne craignaient ni lances ni flèches ni aucune autre arme, parce qu'ils étaient tous de pied en cap bardés de fer ; eux-mêmes refusaient de porter d'autres armes au combat que des épées. Tous vinrent au siège d'Antioche pour disperser la confrérie des Francs.

Ils approchaient de la ville quand vint à leur devant Sensadolus[40], fils de Cassian, l'émir d'Antioche. Il courut droit à Courbaram, et, tout en larmes, l'implora en ces termes : « Invincible prince, je suis ton suppliant : je t'implore de venir tout de suite à mon secours, parce que les Francs m'assiègent de toutes parts dans la citadelle d'Antioche, tiennent la ville en leur pouvoir, désirent nous chasser de la Romanie, de la Syrie et même du Khorassan. Ils ont obtenu tout ce qu'ils voulaient et tué mon père. Il ne leur manque plus que de nous massacrer, toi et moi, avec tous ceux de notre race. Je n'ai plus d'espoir que dans ton aide pour me secourir en ce péril. » Courbaram répliqua : « Si tu veux que de tout cœur je te rende service, et te secoure loyalement en ce péril, livre-moi cette citadelle entre les mains : tu verras combien je te rendrai service en la faisant garder par mes hommes. » Sensadolus repartit : « Si tu peux tuer tous les Francs et me livrer leurs têtes, je te livrerai la citadelle, je serai ton homme lige, et garderai cette citadelle en ta fidélité. » Courbaram de répliquer : « Non, pas ça : c'est tout de suite qu'il me faut la citadelle entre les mains ! » A la fin, bon gré mal gré, il lui remit la citadelle.

Deux jours après notre entrée dans Antioche, les éclaireurs des Turcs accoururent en avant-garde au pied de la ville, et leur armée campa à Pont-de-Fer. Ils prirent d'assaut une tour et tuèrent tous ceux qu'ils y trouvèrent ; personne ne réchappa, sauf le commandant de la tour, que nous découvrîmes après la grande bataille, chargé de chaînes.

Le lendemain, l'armée des païens s'ébranla et ils approchèrent de la ville ; ils campèrent entre deux rivières[41] et restèrent là deux jours. Ayant reçu livraison de la citadelle, Courbaram convoqua l'un de ses émirs, qu'il savait sincère, doux et pacifique, et lui dit : « Je veux que tu entres dans ma fidélité pour prendre la garde de cette citadelle, car je te sais de très longue date parfaitement loyal. Je te prie donc de conserver cette forteresse avec la plus extrême prudence. » L'émir lui répondit : « J'aurais voulu ne jamais t'obéir pour une telle mission. Je le ferai pourtant, mais à une condition : si les Francs vous repoussent en mortel combat et triomphent de

vous, je leur livrerai aussitôt cette citadelle. »
Courbaram lui répondit : « Je connais assez ton
honnêteté et ta prudence pour consentir à tout
ce que tu juges bon. »

Courbaram retourna à son armée. Aussitôt,
des Turcs qui voulaient se moquer de la confrérie des Francs lui mirent sous les yeux une
affreuse épée couverte de rouille, un horrible arc
en bois et une lance hors d'usage, qu'ils venaient
d'enlever à de pauvres pèlerins. Ils dirent :
« Voici les armes que les Francs ont apportées
pour nous combattre. » Courbaram se prit à sourire et déclara publiquement à tous : « Ce sont là
les armes belliqueuses et resplendissantes qu'ont
apportées les chrétiens en Asie contre nous !
C'est avec cela qu'ils envisagent et ont la pré-
somption de nous rejeter au-delà des confins du
Khorassan, et d'effacer tous nos noms jusqu'au-
delà des fleuves des Amazones, eux qui ont déjà
expulsé tous nos parents de la Romanie et d'Antioche, la ville royale, glorieuse capitale de toute
la Syrie ! »

Puis il convoqua son secrétaire et dit : « Écris
en vitesse plusieurs chartes à faire lire en Khorassan. Je dicte. Au calife, notre pape. A notre
seigneur roi, le sultan, très vaillant chevalier. A
tous les très prudents chevaliers du Khorassan.
Salut et immense honneur ! Qu'ils aient liesse et

100

joie à suffisance, dans une concorde enjouée ; qu'ils satisfassent leurs ventres ; qu'ils commandent et débitent leurs sornettes par toute la région, en sorte de pouvoir s'adonner corps et âmes à effronterie et luxure ! Que de concert ils se réjouissent à engendrer moult rejetons capables de prévaloir en vaillant combat sur les chrétiens ! Puissent-ils recevoir avec plaisir ces trois armes, que nous enlevâmes jadis à un escadron de Francs, et apprennent par là quelles sont les armes qu'a apportées contre nous le peuple français ! Quelle excellence et perfection, las, pour lutter contre les nôtres, qui ont été deux ou trois, ou même quatre fois, teintes et purifiées, tantôt d'argent tantôt d'or fin ! Un mot encore : qu'ils sachent aussi que je tiens tous les Francs enfermés à l'intérieur d'Antioche, et que j'ai la citadelle à ma libre disposition, tandis qu'eux sont en bas dans la cité. Pour être exact, je les ai déjà tous dans la main, et les ferai, ou condamner à la sentence capitale, ou conduire dans le Khorassan en cruelle captivité. C'est parce qu'ils menacent de nous repousser et rejeter par leurs armes hors de toutes nos frontières, comme ils ont déjà expulsé nos parents de Romanie ou de Syrie. Dorénavant, je vous le jure par Mahomet et par tous les noms de nos dieux, je ne reparaîtrai pas en votre présence avant

101

d'avoir acquis, de ma vaillante dextre, la ville royale d'Antioche, toute la Syrie, la Romanie, la Bulgarie jusqu'à l'Apulie. C'est pour l'honneur des dieux, pour le vôtre, pour celui de tous les hommes de race turque.» Ainsi prit fin cette charte.

La mère du même Courbaram était dans la cité d'Alep. Elle vint le rejoindre et lui dit en pleurant : « Fils, ce que j'entends dire est-il vrai ?» – Lui : «Quoi ?» – Elle : «J'ai entendu dire que tu veux livrer bataille à la gent des Francs.» – Lui : «Sache-le, c'est pure vérité.» – Elle : «Je t'adjure, fils, par les noms de tous nos dieux et par ta grande valeur, ne livre pas bataille aux Francs, quoique tu sois un combattant invincible, et que jamais personne ne t'ait surpris à décamper, mis en fuite par quelque vainqueur. Ta milice est réputée ; partout, tous les prudents chevaliers se mettent de concert à trembler au seul bruit de ton nom. Nous le savons de reste, fils, tu es puissant au combat, vaillant, ingénieux à la bataille et aucune armée de chrétiens ou de païens n'a jamais pu avoir quelque valeur sous ton regard, mais tes ennemis fuyaient au seul bruit de ton nom, comme fuient les brebis devant la fureur du lion. C'est la raison même pour laquelle, très cher fils, je te conjure d'acquiescer à mes conseils, et de ne jamais balancer ou te déterminer à entrer en guerre contre le peuple chrétien. »

Aux remontrances maternelles, Courbaram répondit par des propos farouches : » Qu'est-ce que tu viens me raconter, mère ? Tu es folle, je pense, ou possédée par les furies ! Figure-toi que j'ai avec moi plus d'émirs qu'il n'y a de chrétiens, grands ou petits ! » – Sa mère lui répondit : « Très doux fils, ce ne sont pas les chrétiens qui peuvent se battre avec vous : je sais bien qu'ils sont incapables d'engager le combat contre nous. Mais c'est leur Dieu qui, quotidiennement, combat pour eux, et de jour et de nuit les défend par sa protection, veille sur eux comme un pasteur veille sur son troupeau, ne permet à aucune nation de les léser ou renverser. Tous ceux qui veulent leur résister, leur même Dieu les renverse à son tour, comme il le dit lui-même par la bouche du prophète David : " Dissipe les nations qui veulent la guerre "[42], et ailleurs : " Répands ta colère sur les nations qui ne t'ont pas connu et sur les royaumes qui n'ont pas invoqué ton nom. "[42] Avant même qu'ils aient fini de se préparer à entamer la bataille, leur Dieu tout-puissant et puissant au combat a déjà, avec ses saints, triomphé de tous leurs ennemis. Combien fera-t-il davantage contre vous, qui êtes ses ennemis à lui et qui vous êtes préparés à leur résister de toute votre force ! Sache-le, très cher, en toute vérité, ces chrétiens sont appelés " fils du Christ ", et, par la bouche des prophètes, " fils de l'adoption et de la promesse " [42], et, suivant l'apôtre, " ils sont les héritiers du Christ " [42], à qui le Christ a déjà donné l'héritage promis en retour, en disant par les prophètes : " Du levant au couchant seront vos limites, et personne ne résistera contre vous. " [42] Qui pourrait contredire ou s'opposer à ces paroles ? A coup sûr, si tu entreprends contre eux cette guerre, il y aura pour toi grand dam et déshonneur, tu perdras en nombre tes fidèles chevaliers, devras abandonner tout le butin que tu as par-devers toi, et te tourner dans la fuite en grande épouvante. Tu ne mourras pas tout de suite dans la bataille mais tu mourras tout de même dans l'année, car Dieu ne juge pas sur-le-champ son offenseur en extériorisant aussitôt sa colère, mais il manifeste sa vengeance par sa punition à l'heure de son choix. C'est bien pourquoi je redoute pour toi qu'il ne te juge avec une sévérité punitive. Tu ne mourras pas, dis-je, tout de suite, mais tu vas perdre tout ce que tu possèdes à présent. »

Courbaram était affligé au plus intime de ses viscères ; après avoir écouté les propos maternels, il répondit : «Très chère mère, je te le demande, qui t'a dit tout cela sur la race chrétienne, que leur Dieu les aime tant, que lui-même possède une très grande valeur guerrière, que ces chrétiens nous vaincront en combat dans Antioche, qu'ils nous prendront notre butin, nous poursuivront en grande victoire, et que je dois mourir dans l'année de mort subite ? »

Sa mère lui répondit avec douleur : « Fils très cher, voilà plus de cent ans qu'on a trouvé dans notre livre et dans les écrits des gentils que la gent chrétienne viendrait contre nous, nous vaincrait totalement, régnerait sur les païens, et que notre gent lui serait totalement soumise. Mais j'ignore si cela doit se produire maintenant ou dans l'avenir. De toute façon, je suis bien malheureuse : je te rejoins venant d'Alep, ville magnifique, où par observations et investigations ingénieuses j'ai lu dans les astres, scrutant avec sagacité les planètes et les douze signes, ainsi que d'innombrables présages ; en tous, j'ai trouvé que la race chrétienne doit totalement nous vaincre, et c'est pourquoi j'ai grand-peur à ton sujet, désespérée à l'idée de te survivre. »

Courbaram lui répondit : « Mère très chère, renseigne-moi sur tout ce que mon cœur n'arrive pas à croire. » Elle répondit : « Bien volontiers, très cher, si je sais ce que tu ignores. »

105

Il lui demanda : « Alors, Bohémond et Tancrède ne sont donc pas les dieux des Francs et ne les délivrent pas de leurs ennemis ? A propos, est-ce qu'ils mangent à chaque repas deux mille vaches et quatre mille porcs ? – Très cher fils, répondit la mère, Bohémond et Tancrède sont des mortels comme tous les autres, mais leur Dieu les chérit par-dessus tous les autres, et il leur donne une vertu guerrière supérieure à celle de tous les autres. Car leur Dieu – tout-puissant est Son nom – " a fait le ciel et la terre, et fondé les mers avec tout ce qu'elles contiennent " [43], lui dont la demeure est préparée dans le ciel pour l'éternité, dont la puissance est partout à redouter. » Le fils repartit : « Dans ces conditions, je ne cesserai pas de les combattre. » En entendant qu'il ne voulait d'aucune façon acquiescer à ses conseils, sa mère fit demi-tour et s'en retourna désespérée en Alep, emportant avec elle tout le butin qu'elle put.

Deux jours après son arrivée devant Antioche, Courbaram s'arma, lui et un gros contingent de Turcs, et ils approchèrent de la cité, du côté où se trouvait la citadelle. Espérant pouvoir leur résister, nous nous étions préparés au combat contre eux, mais leur force était telle que ce fut impossible, et ainsi contraints et forcés, nous rentrâmes dans la cité. Ce fut par une porte d'un accès si incroyablement resserré et étroit qu'il y eut là beaucoup de morts étouffés par leurs compagnons.

Les uns combattirent hors la ville, les autres dedans, pendant toute la journée du jeudi, jusqu'au soir. Sur ces entrefaites, Guillaume de Grandmesnil, Aubri son frère, Guy Trousseau, Lambert le pauvre, tous encore sous le choc du combat de la veille, qui s'était prolongé jusqu'au soir, s'évadèrent secrètement pendant la nuit au moyen d'une corde [44] et s'enfuirent à pied vers la mer, en de telles conditions qu'aux pieds comme aux mains ne leur resta rien que les os. En arrivant aux navires amarrés à Port-Saint-Siméon, ils dirent aux matelots : « Pourquoi restez-vous ici, malheureux ? Tous les nôtres sont morts, et nous-mêmes avons de peu échappé à la mort : les armées turques assiègent de toutes parts la ville. » Eux, entendant cela, restèrent stupéfaits ; saisis de terreur, ils coururent aux navires et levèrent l'ancre. Là dessus, les Turcs survinrent, tuèrent ceux qu'ils trouvèrent, mirent le feu aux navires qui n'avaient pas encore quitté le lit du fleuve et saisirent les dépouilles. A nous qui étions restés dans la ville, était devenu intolérable le poids des armes ennemies. Nous fîmes entre l'ennemi et nous un mur que nous gardions jour et nuit. En même temps, la famine

107

s'appesantit si lourdement sur nous que nous en arrivâmes à manger nos chevaux et nos ânes.

Nos chefs se trouvaient un jour sur la hauteur qui fait face à la citadelle, plongés dans la tristesse et l'affliction, quand un prêtre vint devant eux et leur dit : " Seigneurs, écoutez, s'il vous plaît, le récit de la vision qui m'est apparue. J'étais couché, une nuit, dans l'église de sainte Marie, mère de Notre Seigneur Jésus-Christ, quand m'apparut le Sauveur du monde avec sa génitrice et le bienheureux Pierre, prince des apôtres. Il se tint devant moi et me dit : " Tu me reconnais ? " – " Non ", lui répondis-je. A ces mots, voici qu'une croix entière apparut sur sa tête. A nouveau, le Seigneur m'interrogea, disant : " Tu me reconnais ? " – " Pas autrement, répondis-je, qu'à ceci : je vois sur ta tête une croix semblable à celle de notre Sauveur. " – " C'est moi ", dit-il. Aussitôt, je tombai à ses pieds, le suppliant humblement de nous secourir dans l'accablement qui pesait sur nous. Le Seigneur répondit : " Je vous ai bien aidés et vous aiderai encore. J'ai permis que vous preniez Nicée et vous ai conduits jusqu'ici. J'ai compati à la misère que vous avez endurée au siège d'Antioche. Mon aide a été efficace : je vous ai fait entrer sains et saufs dans la cité. Et voici que vous avez maintes fois œuvré à des amours coupables, avec des chrétiennes et des putains païennes. Une immense puanteur en monte jusqu'au ciel ! " Alors, la Vierge nourricière et le bienheureux Pierre tombèrent à ses pieds, le priant et suppliant de secourir son peuple en cette tribulation. Le bienheureux Pierre dit : " Seigneur, la gent païenne a tant d'années occupé ma maison, y causant tant de maux indicibles ! Maintenant que l'ennemi en est expulsé, les anges se réjouissent dans les cieux. " Le Seigneur me dit : " Va donc, et dis à mon peuple qu'il revienne à moi, et je reviendrai à lui. D'ici cinq jours, je lui enverrai un grand secours. Qu'il chante quotidiennement le répons *Ils se sont rassemblés,* tout d'une traite, avec le verset [45]. " Seigneurs, si vous ne me croyez pas, laissez-moi seulement monter sur cette tour et je me jetterai en bas : si je suis sain et sauf, croyez-moi ; si j'ai la moindre blessure, décapitez-moi ou jetez-moi au feu. »

Alors l'évêque du Puy ordonna d'apporter les Évangiles et la croix pour le faire jurer qu'il avait dit vrai. Tous nos chefs, en cette heure, tinrent conseil, et décidèrent de prêter serment qu'aucun d'entre eux ne déserterait, pour question de vie ou de mort, aussi longtemps qu'ils auraient le souffle. Le premier, dit-on, à jurer, fut Bohémond. Puis, jurèrent le comte de Saint-

Gilles, Robert le Normand, le duc Godefroy, le comte de Flandre. Tancrède jura et promit en ces termes : tant qu'il aurait avec lui quarante chevaliers, il ne se retirerait pas, non seulement de cette guerre, mais même du chemin de Jérusalem. La congrégation chrétienne exulta de joie en entendant ce serment.

Il y avait un pèlerin de notre armée qui s'appelait Pierre. Avant notre entrée dans Antioche, saint André l'apôtre lui était apparu, disant : « Que fais-tu, brave homme ? » – Il lui avait répondu : « Toi, qui es-tu ? » – L'apôtre lui dit : « Je suis André l'apôtre. Reconnais-le à ce qu'en entrant dans la ville, si tu vas à l'église du bienheureux Pierre, tu y trouveras la lance de Notre Seigneur Jésus-Christ, dont il fut blessé quand il était suspendu au gibet de la croix. » Sur ces paroles, l'apôtre disparut.

Craignant de révéler le conseil de l'apôtre, Pierre ne voulut pas avertir nos pèlerins. Il se disait qu'il avait une vision. Il se contenta de répondre à l'apôtre : « Seigneur, qui pourrait croire cela ? » Mais, dans l'heure même, saint André le prit et le transporta au lieu où la lance était cachée en terre. Une seconde fois, alors que nous étions dans la situation que j'ai évoquée plus haut, saint André revint lui dire : « Pourquoi n'as-tu pas enlevé la lance de terre comme je te l'avais prescrit ? Sache en vérité que quiconque portera cette lance dans la bataille sera invincible. »

Aussitôt Pierre révéla à nos hommes le mystère de l'apôtre. Mais le peuple ne le croyait pas et l'envoyait promener en disant : « Comment pourrions-nous croire cela ? » Ils étaient plongés dans l'épouvante, se sentant à deux doigts de la mort. Alors, Pierre s'en vint publiquement prêter serment solennel que saint André lui était apparu à deux reprises en vision et lui avait dit : « Lève-toi, va et dis au peuple de Dieu de ne pas craindre, mais de croire fermement de tout son cœur en un seul vrai Dieu, et il sera en tout vainqueur, et dans les cinq jours Dieu lui enverra une nouvelle qui le laissera en liesse et joie, et, s'il veut se battre, il ne sera pas plus tôt parti d'un seul cœur à la bataille que tous ses ennemis seront vaincus et que personne ne se dressera plus contre lui. »

A la nouvelle que leurs ennemis allaient être totalement vaincus, ils revinrent à la vie et s'encourageaient mutuellement en disant : « Réveillez-vous et soyez en tout vaillants et prudents, car sous peu Dieu va vous venir en aide, et il sera un très grand recours pour son peuple, qu'il aperçoit plongé dans l'affliction. »

Les Turcs qui étaient en haut dans la citadelle

nous pressaient si inimaginablement de partout qu'un jour ils réussirent à enfermer trois de nos chevaliers dans une tour en face. Les gentils les avaient attaqués avec une telle fougue qu'ils n'avaient pu supporter leur poids. Deux des trois chevaliers sortirent blessés de la tour. Le troisième se défendit virilement toute la journée contre l'assaut des Turcs, déployant une telle prudence que, le même jour, il abattit deux Turcs sur le mur à l'entrée de la tour ; ce fut dans un grand bris de lances : trois lances se cassèrent entre ses mains ce jour-là. Les Turcs se virent infliger la sentence capitale. Le chevalier s'appelait Hugues le Forcené ; il était de l'armée de Goffroy de Mont-Galeux.

Le vénérable Bohémond voyait qu'il était absolument impossible de conduire ses hommes au combat sur la hauteur contre la citadelle ; calfeutrés dans les maisons, ils étaient paralysés, les uns par la faim, les autres par la peur des Turcs. Il fut en grande colère et ordonna de mettre sur l'heure le feu à Antioche, du côté où se trouvait le palais de Cassian. A la vue de l'incendie, ceux qui se trouvaient dans la cité abandonnèrent les maisons et tout leur bien, et s'enfuirent les uns vers la citadelle, les autres du côté de la porte du comte de Saint-Gilles, ou de celle du duc Godefroy, chacun vers les siens. C'est alors que s'éleva une violente tempête de vent, telle que personne ne pouvait se tenir droit. Bohémond le sage en fut très affligé, craignant pour l'église Saint-Pierre, l'église Sainte-Marie et les autres. Cette colère de la nature dura de neuf heures du matin jusqu'au milieu de la nuit. Brûlèrent plus de deux mille églises et maisons. Vers minuit, d'un coup, toute la sauvagerie du feu retomba.

Les Turcs cantonnés dans la citadelle se battaient contre nous jour et nuit à l'intérieur de la ville, sans que rien nous séparât d'eux que les armes. Les nôtres virent que cela ne pouvait plus durer : qui avait du pain ne pouvait le manger, qui avait de l'eau ne pouvait la boire ! Ils élevèrent un mur entre eux et nous avec de la pierre et de la chaux, et construisirent une fortification et des machines pour avoir la paix. Une partie des Turcs resta dans la citadelle à nous combattre, le reste prit ses quartiers non loin de là dans un vallon.

Un soir, à la tombée de la nuit, un feu céleste apparut, venant de l'Occident ; il approcha et tomba dans les rangs des Turcs, à la stupeur des deux camps. Le matin suivant, les Turcs épouvantés prirent tous la fuite en même temps, par crainte du présage, et allèrent établir leurs quartiers devant la porte du seigneur Bohémond. Les Turcs de la citadelle ne cessaient jour et nuit de harceler les nôtres de flèches, portant blessures et mort. Le reste assiégea de toutes parts la cité, de telle sorte qu'aucun des nôtres n'osait en sortir ou y entrer, sinon de nuit et en cachette. Voilà comment nous étions assiégés et accablés par un ennemi incalculable en nombre.

Ces impies, ces ennemis de Dieu, nous tenaient de telle sorte enfermés dans la ville d'Antioche que beaucoup moururent de faim. Un quignon de pain se vendait en effet un besant. Je passerai sur le prix du vin. On mangeait et vendait la chair des chevaux ou des ânes. On vendait aussi une poule quinze sous, un œuf deux sous, une noix un denier. Tout était hors de prix. Les feuilles de figuier, de vigne, de chardon, de tous les arbres, on les faisait cuire pour les manger, tant on avait faim. On faisait cuire aussi pour la manger, après l'avoir fait sécher, la peau des chevaux, celle des chameaux, des ânes, des bœufs, des buffles. Ces anxiétés, ces angoisses, et beaucoup d'autres que je ne suis pas en mesure d'exprimer, nous les avons souffertes pour le nom du Christ et pour délivrer la voie du Saint-Sépulcre. Et telles tribulations, faims et peurs, nous les avons souffertes vingt-six jours durant.

Ainsi s'explique qu'un imprudent, Étienne, comte de Chartres, que nos chefs avaient unanimement choisi pour conduire les nôtres, ait fait semblant de tomber gravement malade avant la prise d'Antioche, et se soit retiré ignominieusement dans une autre place, appelée Alexandrette. Nous, nous attendions tous les jours qu'il vînt à notre secours, enfermés dans la ville et privés de tout moyen de salut. Mais lui, après avoir appris que l'armée turque nous encerclait et assiégeait, gravit en secret une montagne voisine, qui domine la plaine d'Antioche. En voyant la nuée de tentes innombrables, il fut saisi de panique, se retira et s'enfuit à la hâte avec son armée. Il retourna dans son camp, le vida de tout ce qu'il contenait, et, à vive allure, tourna les talons.

Il arriva à la rencontre de l'empereur, qui, avec son armée, se hâtait au secours des chrétiens ; c'était à Philomena [46]. Il le prit à part et lui dit en secret : « Sache bien qu'Antioche est prise, mais pas la citadelle, et que tous les nôtres subissent un siège accablant, et sont, je le présume, à l'heure où je parle, exterminés par les Turcs. Tourne les talons au plus vite, pour ne pas tomber à ton tour entre leurs mains, toi et l'armée que tu mènes avec toi. »

L'empereur fut terrifié ; il appela secrètement Guy, le frère de Bohémond [47], avec quelques autres, et leur dit : « Seigneurs, qu'allons-nous

115

faire ? Voici tous les nôtres accablés par un siège sans merci, et peut-être, à cette heure, tous morts ou enlevés en captivité par la main des Turcs, si j'en crois ce funeste comte qui fuit ignominieusement. Si vous voulez bien, tournons les talons à vive allure, pour ne pas mourir de mort subite comme ils sont morts ! ».

Guy était un très honorable chevalier. En entendant de tels mensonges, il se mit, avec tous les autres, à pleurer et se lamenter, en poussant des hurlements. Tous disaient en chœur : « Ô vrai Dieu trin et un, pourquoi as-tu permis cela ? Pourquoi as-tu permis que le peuple qui te suivait tombât aux mains de ses ennemis, pourquoi as-tu si vite abandonné ceux qui voulaient délivrer la voie de ton pèlerinage et de ton sépulcre ? Certes, si est vrai ce que nous venons d'entendre de la bouche de ces scélérats, nous et les autres chrétiens allons t'abandonner, te chasser de notre mémoire, et aucun de nous n'osera plus jamais invoquer ton nom ! » Ces propos désespérés se répandirent dans toute la milice, si bien que nul d'entre eux, évêque, abbé, clerc ou laïque, n'osa de plusieurs jours invoquer le nom du Christ.

Personne n'arrivait à consoler Guy, qui pleurait, se labourait le corps, se brisait les doigts, disant : « Hélas sur moi ! Ô mon seigneur Bohémond, honneur et gloire de tout l'univers, que l'univers entier redoutait et aimait ! Hélas sur moi ! quelle tristesse ! Je n'ai pas mérité, dans ma douleur, de voir jamais ta noble face, moi dont la voir était le suprême désir ! qui me donnerait de mourir à ta place, très doux ami et seigneur ? Pourquoi ne suis-je tombé mort au sortir de l'utérus de ma mère ? Pourquoi ai-je atteint cette lugubre journée ? Pourquoi n'ai-je pas été englouti dans la mer ? Pourquoi ne suis-je tombé de cheval en me brisant le col ? Ah ! si seulement j'avais reçu le bienheureux martyre en ta compagnie, afin de te voir aller à ta fin glorieuse ! »

Tous coururent à lui pour le consoler, afin qu'il mît un terme à ses lamentations. Il revint à lui et dit : « Vous croyez peut-être cet imprudent chevalier déjà à moitié chenu ? Jamais, en vérité, je n'ai entendu parler d'un exploit qu'il aurait accompli, mais au contraire il bat en retraite dans l'ignominie et le déshonneur, en scélérat et en misérable ! Tout ce qu'annonce le malheureux, sachez que c'est faux ! »

Là-dessus, l'empereur donna ordre à ses hommes : « Allez, dit-il, et conduisez tous les habitants de cette terre en Bulgarie. Explorez et dévastez tout le pays, pour qu'à leur arrivée les Turcs n'y trouvent rien ! » Bon gré mal gré, les

117

nôtres battirent en retraite, dolents jusqu'à la mort de très amère douleur. Il y eut beaucoup de morts parmi les pèlerins : ils étaient pris de faiblesse et n'avaient plus la force de suivre la milice, s'arrêtaient, mouraient en chemin. Les autres regagnèrent Constantinople.

Quant à nous, après avoir appris la révélation du Christ faite par la bouche de l'apôtre, aussitôt nous nous étions dépêchés de gagner l'emplacement indiqué de l'église Saint-Pierre. Treize hommes creusèrent toute une journée, du matin jusqu'au soir, et le nommé Pierre trouva la lance comme il l'avait annoncé. On la reçut avec beaucoup de joie et de crainte, une immense liesse se répandit par toute la ville.

Sur l'heure, nous tînmes un conseil de guerre. Plus tard, nos chefs décidèrent unanimement d'envoyer une délégation aux Turcs ennemis du Christ : par le truchement d'un interprète, elle leur demanderait en termes posés pourquoi ils étaient entrés avec tant de superbe dans la terre des chrétiens, pour quel motif ils y avaient établi leurs quartiers, pour quelle raison ils tuaient et hachaient menu les serviteurs du Christ. Le message rédigé, on alla trouver tel et tel – en fait, Pierre l'Ermite et Herlouin –, et on leur donna ces instructions : « Allez trouver l'armée maudite des Turcs et racontez-leur en diligence tout ceci ; interrogez-les sur le motif de leur entrée audacieuse et pleine de superbe dans la terre des chrétiens, qui est aussi la nôtre. »

Sur ces paroles, les envoyés se retirèrent et gagnèrent la confrérie impie, transmettant en ces termes à Courbaram et aux autres tout le message : « Nos chefs et seigneurs se demandent, avec assez et beaucoup d'étonnement, pourquoi, avec témérité et extrême superbe, vous êtes entrés dans la terre des chrétiens, qui est aussi la leur. Devons-nous penser et croire que vous êtes venus ici parce que vous voulez à tout prix vous faire chrétiens, ou bien serait-ce donc pour maltraiter par tous les moyens les chrétiens ? Tous nos chefs vous demandent donc unanimement de vous retirer rapidement de la terre de Dieu et des chrétiens, que le bienheureux apôtre Pierre a, il y a longtemps, convertie au culte du Christ. Mais ils vous permettent encore d'emmener avec vous tous vos biens, chevaux, mulets, ânes, chameaux, brebis, bœufs, tous autres trésors, tout ce qu'il vous plaira d'emporter. »

Alors Courbaram, le prince de la milice du sultan de Perse, et tous les autres, gonflés de superbe, firent une farouche réponse : « Votre Dieu et votre chrétienté, on s'en balance ! Vous et eux, nous vous vomissons ! Si nous sommes venus ici, c'est que nous sommes fort étonnés :

pourquoi diable les seigneurs et les chefs que vous mentionnez appellent-ils leur une terre que nous avons arrachée à des peuples d'efféminés [48] ? Vous voulez connaître notre réponse ? Retournez-vous-en au galop dire à vos seigneurs que, s'ils désirent à tout prix se faire Turcs et acceptent de renier votre Dieu – ce Dieu que vous adorez inclinés –, et de mépriser vos lois, nous leur donnerons cette terre et beaucoup d'autres encore, et des cités, et des castels, tant et si bien que personne des vôtres ne restera piéton, mais que tous seront chevaliers – tout comme nous sommes ! –, et que nous vous aurons toujours en amitié suprême. Mais, dans le cas contraire, qu'ils sachent que, par tous les moyens, nous leur ferons subir la sentence capitale, ou les emmènerons enchaînés dans le Khorassan en éternelle captivité, et qu'ils seront nos esclaves et ceux de nos enfants, pour l'éternité des temps ! »

Nos envoyés firent rapidement demi-tour, et rapportèrent tout ce que leur avait répondu cette race très cruelle. Il paraît qu'Herlouin savait les deux langues et servit d'interprète à Pierre l'Ermite. Pendant ce temps, plongée dans une double détresse, notre armée ne savait que faire : d'un côté, elle était tenaillée par une faim crucifiante, de l'autre, prise à la gorge par la peur des Turcs.

On finit par célébrer un triduum avec jeûnes et processions d'une église à l'autre. Les pèlerins confessèrent leurs péchés, et, une fois absous, communièrent dans la foi au corps et au sang du Christ. Ils donnèrent des aumônes et firent célébrer des messes.

Puis, on établit six corps de combattants à l'intérieur de la cité. Dans le premier, qui marchait en tête, était Hugues le Grand avec les Français et le comte de Flandre. Dans le second, le duc Godefroy avec son armée. Dans le troisième, Robert le Normand avec ses chevaliers. Dans le quatrième, l'évêque du Puy portant avec lui la lance du Sauveur, accompagné de sa gent et de l'armée de Raymond, comte de Saint-Gilles, qui resta sur la hauteur à tenir en respect la citadelle, de peur que les Turcs ne descendissent dans la cité. Dans le cinquième corps, était Tancrède avec sa gent. Dans le sixième, le sage Bohémond avec sa milice. Nos évêques, prêtres, clercs et moines, revêtus des vêtements sacrés, sortirent avec nous, avec des croix, priant et suppliant le Seigneur de nous sauver, garder et arracher à tous les maux. D'autres se tenaient sur le mur de la porte, tenant les croix sacrées dans leurs mains, nous signant et bénissant. C'est ainsi ordonnés et protégés du signe de la croix que nous sortîmes par la porte qui est devant la Mahomerie.

Quand Courbaram vit les corps de bataille des Francs sortir l'un derrière l'autre dans une si belle ordonnance, il dit : « Laissez-les sortir : nous les aurons mieux en notre pouvoir ! » Mais quand ils furent hors de la ville et qu'il vit le prodigieux peuple des Francs, il eut grand-peur. Bientôt, il donna la consigne à son émir chargé de la surveillance générale, s'il voyait un feu allumé en tête de l'ost, de faire sur-le-champ sonner la retraite pour toute l'armée, en sachant que les Turcs auraient perdu la bataille.

Immédiatement après, Courbaram se mit à reculer progressivement, à pas lents, vers la montagne, et les nôtres, progressivement, à pas lents, le poursuivirent. Puis, les Turcs se divisèrent : une partie alla vers la mer, les autres restant sur place : ils espéraient ainsi nous prendre en tenaille. Voyant cela, les nôtres en firent autant. Il fut ordonné un septième corps de bataille, prélevé sur les hommes du duc Godefroy et du comte de Normandie, et placé sous le commandement de Renaud. On l'envoya à la rencontre des Turcs qui venaient du côté de la mer. Les Turcs engagèrent le combat avec lui, et, à coups de flèches, tuèrent beaucoup des nôtres. Ils disposèrent encore d'autres escadrons, du fleuve jusqu'à la montagne, sur une distance de deux milles.

Les escadrons turcs se mirent à sortir des deux côtés et à encercler complètement les nôtres en les accablant sous une pluie de javelots et de flèches. Il sortait aussi de la montagne d'innombrables armées montées sur des chevaux blancs, dont tous les étendards étaient blancs. A la vue de cette armée, les nôtres ignoraient absolument ce qui se passait et qui c'était, jusqu'au moment où ils reconnurent qu'il s'agissait d'un secours du Christ, conduit par les saints Georges, Mercure et Démétrius. Il faut m'en croire sur parole, car plusieurs des nôtres ont vu.

Les Turcs du côté de la mer virent qu'ils ne pourraient tenir plus longtemps ; ils mirent le feu dans l'herbe pour faire sortir des tentes à cette vue ceux qui y étaient encore. Mais eux crurent reconnaître là le signal annoncé [49], se saisirent de tout le butin de valeur et s'enfuirent.

Les nôtres, progressivement, à pas lents, s'avançaient en combattant vers le noyau de résistance des Turcs, c'est-à-dire vers leurs tentes. Le duc Godefroy, le comte de Flandre et Hugues le Grand chevauchaient le long de l'eau eux aussi, vers le noyau dur des ennemis. C'est eux les premiers qui, munis du signe de la croix, se jetèrent sur eux d'un seul élan. Voyant cela, les autres corps, les imitant, chargèrent aussi. Une clameur jaillit dans les rangs des Perses et des Turcs. Nous, alors, invoquant le Dieu vivant et vrai, chevauchâmes contre eux ; au nom de Jésus-Christ et du Saint-Sépulcre, nous engageâmes la bataille, et, Dieu aidant, nous les vainquîmes.

Les Turcs épouvantés prirent la fuite, et les nôtres les poursuivirent jusqu'à leurs tentes. Ainsi, les soldats du Christ préféraient-ils la poursuite au butin. Ils les poursuivirent jusqu'à Pont-de-Fer, puis jusqu'au castel de Tancrède. L'ennemi abandonna là ses pavillons, de l'or, de l'argent, bien des trésors, et aussi des brebis et des bœufs, des chevaux et des mulets, des chameaux et des ânes, du blé et du vin, de la farine et beaucoup d'autres produits qui nous étaient nécessaires. Les Arméniens et les Syriens qui habitaient dans les parages apprirent notre victoire sur les Turcs. Ils coururent vers la montagne pour leur barrer la retraite et tuèrent tous ceux dont ils purent se saisir.

Nous regagnâmes en grande joie Antioche, louant et bénissant Dieu qui avait donné la victoire à son peuple. Quand l'émir affecté à la garde de la citadelle vit Courbaram et tous les autres Turcs s'enfuir du champ de bataille devant l'armée des Francs, sa peur redoubla. Immédiatement, en grande hâte, il demandait des étendards aux Francs [50]. Le comte de Saint-

Gilles, posté face à la citadelle, lui fit porter le sien. Il le prit et l'arbora aussitôt sur la tour. Des Longobards qui se trouvaient là protestèrent aussitôt : « Cet étendard n'est pas celui de Bohémond ! – A qui est-il ?, demanda l'émir. – Au comte de Saint-Gilles, répondirent-ils. L'émir s'approcha, prit l'étendard et le rendit au comte. Dans l'heure même, arriva le vénérable Bohémond ; il donna à l'émir son étendard ; celui-ci le prit avec grande joie. Il passa aussi un traité avec le seigneur Bohémond : les païens qui voudraient recevoir la foi chrétienne iraient avec lui ; ceux qui voudraient s'en aller pourraient le faire sains et saufs et sans aucun dommage. Bohémond consentit à tout ce que réclama l'émir, et incontinent envoya des sergents à lui dans la citadelle. Peu de jours après, l'émir se fit baptiser avec ceux qui préférèrent reconnaître le Christ. Ceux qui voulurent garder leurs lois, le seigneur Bohémond les fit conduire dans la terre des Sarrasins.

Cette bataille eut lieu le 28 juin, la veille de la fête des apôtres Pierre et Paul, sous le règne du Seigneur Jésus-Christ, à qui sont honneur et gloire pour l'éternité des siècles. Amen !

JÉRUSALEM
AVEC LES FRUITS NOUVEAUX

Tous nos ennemis étaient totalement défaits – nous en rendons dignement grâce à Dieu suprême, trin et un ! Ils se mirent à fuir en tous sens, les uns à moitié morts, les autres blessés ; ils rendaient l'âme dans les vallées, dans les bois, dans les champs, sur les routes. Le peuple du Christ, lui – en l'espèce, les pèlerins victorieux –, regagna Antioche joyeux de son heureux triomphe, après la déroute ennemie.

Aussitôt, tous nos seigneurs – à savoir le duc Godefroy, le comte de Saint-Gilles Raymond, Bohémond, le comte de Normandie, le seigneur Robert, le comte de Flandre, tous les autres – envoyèrent le très noble comte Hugues le Grand trouver l'Empereur à Constantinople, pour qu'il vînt se faire livrer Antioche et s'acquitter des conventions passées à leur égard. Il alla et ne revint pas [51].

Après que tout cela fut accompli, nos chefs se réunirent en assemblée : il s'agissait de trouver les moyens de conduire et diriger heureusement le peuple jusqu'à l'achèvement du voyage vers le Saint-Sépulcre, pour lequel il avait déjà supporté tant de périls. On décida de ne pas se risquer à entrer tout de suite dans la terre des païens [52], parce qu'en été elle est trop aride et sans eau. On convint donc d'attendre le terme du premier novembre. Puis, les seigneurs se séparèrent : chacun partit dans sa terre pour y attendre le terme fixé pour le départ. Les princes firent proclamer par toute la ville que, s'il se trouvait quelqu'un qui fût dans la gêne et manquât d'or et d'argent, cette personne pouvait rester à leur solde moyennant contrat : ils la garderaient avec joie.

Il y avait un chevalier de l'armée du comte de Saint-Gilles qui s'appelait Raymond Pilet. Celui-ci retint à son service une bonne quantité d'hommes, chevaliers et piétons. Il partit avec l'armée ainsi rassemblée et entra virilement dans la terre des Sarrasins, dépassa deux cités et parvint à une citadelle du nom de Talamannia. Les habitants, en l'espèce des Syriens, se livrèrent aussitôt spontanément. Il y avait environ huit jours qu'ils étaient tous là, quand des messagers vinrent lui dire : « Il y a près d'ici une citadelle de Sarrasins énergiquement défendue. » Les pèlerins soldats du Christ partirent séance

127

tenante vers cette citadelle, l'assaillirent de toutes parts, et elle fut aussitôt prise, avec l'aide du Christ. Ils se saisirent de tous les habitants ; ceux qui ne voulurent pas recevoir la foi chrétienne, ils les tuèrent ; ceux qui préférèrent reconnaître le Christ, ils les laissèrent en vie. Sur cet exploit, nos Francs regagnèrent tout joyeux la citadelle précédente. Ils en sortirent deux jours après pour venir à une ville appelée Marra, tout près. Il y avait là rassemblés beaucoup de Turcs et de Sarrasins de la cité d'Alep et de toutes les villes et citadelles des environs. Les barbares sortirent pour engager le combat contre les chrétiens. Les nôtres prirent le parti de les affronter en bataille et les mirent une première fois en fuite. Mais ils revinrent, et tout le jour, à tour de rôle, assaillirent les nôtres. Jusqu'au soir, dura cet assaut. La chaleur était terrible. Les nôtres ne parvenaient plus à supporter la soif, ne pouvant nulle part trouver d'eau à boire. Ils ne voulurent pas pour autant rentrer en sécurité dans leur citadelle. Mais, pour leurs péchés, les Syriens et la piétaille, eux, pris de panique, se mirent bientôt à battre en retraite. En les voyant rebrousser chemin, les Turcs se jetèrent aussitôt à leur poursuite, et la victoire leur donnait des ailes : beaucoup des nôtres rendirent leur âme à Dieu, pour l'amour de qui ils étaient là rassemblés. Ce massacre eut lieu le 5 juillet. Les Francs restés en vie revinrent dans leur citadelle, où Raymond avec sa gent resta plusieurs jours.

Ceux qui étaient restés dans Antioche s'y trouvaient en grande joie et liesse. Ils avaient au-dessus d'eux, pour recteur et pasteur, l'évêque du Puy ; par la volonté de Dieu, celui-ci tomba gravement malade, et, selon la volonté de Dieu, il émigra de ce siècle : reposant en paix, il s'endormit dans le Seigneur. C'était le jour de la solennité de saint Pierre dite « ès-liens »[53]. Grande angoisse et tribulation, immense douleur en résultèrent dans toute la milice du Christ, parce que cet homme était le soutien des pauvres, le conseil des riches, qu'il ordonnait les clercs, prêchait et semonçait les chevaliers, leur disant : « Personne parmi vous ne peut faire son salut s'il n'honore les pauvres et ne les restaure. Vous ne pouvez faire votre salut sans eux, ils ne peuvent vivre sans vous. Il faut donc qu'en quotidienne supplication, ils prient pour vos péchés ce Dieu que quotidiennement vous offensez à tant de titres. Je vous supplie donc de les aimer, pour l'amour de Dieu, et, dans la mesure de vos possibilités, de les sustenter. »

Peu de temps après, partit en expédition le vénérable Raymond, comte de Saint-Gilles. Il entra dans la terre des Sarrasins et parvint à une ville appelée Albara. Il l'attaqua avec son armée, la prit incontinent, tua tous les Sarrasins qu'il y trouva, mâles et femelles, grands et petits. Après l'avoir établie sous son empire, il la rappela à la foi du Christ et prit conseil de ses hommes les plus sages : il s'agissait de faire très dévotement ordonner en cette ville un évêque chargé, dans la fidélité, de la rappeler à la foi du Christ et à son culte, et de convertir la demeure diabolique [54] en un temple consacré au Dieu vivant et vrai, avec des oratoires en l'honneur des saints. Pour finir, ils élurent un homme honorable et plein de sagesse et l'emmenèrent à Antioche pour le faire consacrer. Ainsi fut fait. Ceux qui étaient restés à Antioche y vécurent en joie et en liesse.

A l'approche du terme fixé, à savoir la Toussaint, tous nos chefs revinrent à Antioche s'y réunir, et ils se mirent tous à chercher le moyen d'achever le voyage du Saint-Sépulcre. Puisque approchait, disaient-ils, le terme fixé pour le départ, l'heure n'était plus à la contestation.

Bohémond réclamait sans se lasser le respect de la convention que tous les seigneurs avaient passée six mois plus tôt avec lui pour la remise de la cité. Mais le comte de Saint-Gilles ne voulait mollir devant Bohémond pour aucune convention au monde, craignant de se parjurer vis-à-vis de l'empereur. On se réunit bien des fois dans l'église Saint-Pierre [55] pour déterminer ce qu'il était juste de faire. Bohémond lut le texte de sa convention et produisit ses comptes. Parallèlement, le comte de Saint-Gilles rendit publics les termes du serment qu'il avait prêté à l'Empereur sur le conseil même de Bohémond. Les évêques, le duc Godefroy, le comte de Flandre, le comte de Normandie et autres seigneurs se retirèrent pour délibérer dans le chœur de l'église, à l'endroit où se trouve conservée la chaire de saint Pierre, afin d'arbitrer là entre les deux parties. Mais ensuite, craignant que n'en fût troublée la marche vers le Saint-Sépulcre, ils refusèrent de rendre leur verdict public. A la fin, le comte de Saint-Gilles déclara : « Plutôt que d'interrompre le voyage du Saint-Sépulcre, si Bohémond consent à venir avec nous, tout ce qu'auront approuvé nos pairs – j'entends par là le duc Godefroy, le comte de Flandre, Robert le Normand et autres seigneurs –, j'y consentirai en fidélité, pourvu que soit respectée la fidélité à l'empereur. »

Bohémond approuva intégralement cette solution. Tous deux, se remettant aux mains des évêques, firent la promesse qu'en aucune façon ne serait troublée de leur fait la marche vers le Saint-Sépulcre. Bohémond tint alors conseil

avec ses hommes sur la façon de munir la citadelle de la haute montagne en hommes et en
vivres. Parallèlement, le comte de Saint-Gilles
tint conseil avec les siens sur la manière de
munir le palais de l'émir Cassian et la tour qui se
trouve sur la porte du pont, du côté de Port-
Saint-Siméon, de les munir, dis-je, en hommes et
en vivres capables de tenir longtemps.

Cette ville d'Antioche est, on le sait, splendide et merveilleuse. Au pied de ses murailles se
dressent quatre montagnes imposantes, fort éle-
vées. Sur la plus haute est bâtie la citadelle,
magnifique et inexpugnable. En bas, s'étend la
cité, grandiose, agréable, parée de toutes les dis-
tinctions : on y a édifié de nombreuses églises ;
elle contient trois cent soixante monastères ; le
patriarche tient sous son joug cent cinquante-
trois évêques.

Deux murailles enclosent la cité. La plus
grande est fort haute, merveilleusement large,
faite de grands blocs de pierre ; y sont disposées
quatre cent cinquante tours. A tout point de
vue, la cité est belle. A l'Orient, la bornent
quatre grandes montagnes. A l'Occident, le long
des murailles, coule un fleuve appelé le Farfar [56].
Cette cité a connu un grand prestige : elle a
d'abord été instituée par soixante-quinze rois,
dont le premier était Antiochus, d'où son nom

d'Antioche. Les Francs ont tenu cette cité assiégée pendant huit mois et un jour ; après quoi ils furent eux-mêmes pendant trois semaines tenus enfermés à l'intérieur, par les Turcs et autres païens, en nombre tel qu'il n'y eut jamais plus grand rassemblement humain, de chrétiens ou de païens. Cependant, avec l'aide de Dieu et du Saint-Sépulcre, ils ont été vaincus par les chrétiens, et nous nous reposâmes là de nos peines, en grande joie et liesse, pendant cinq mois et huit jours.

Cette période achevée, – on était en novembre –, Raymond, comte de Saint-Gilles, quitta Antioche avec son armée. Il passa par une cité appelée Rugia, par une autre nommée Albara. Le 27 novembre, il parvint à Marra, où était rassemblée une grande multitude de Sarrasins, Turcs, Arabes et autres païens. Le lendemain, le comte attaqua la ville. Peu de temps après, Bohémond partit retrouver les comtes [57] avec son armée ; il les rejoignit un dimanche. Le lundi, ils attaquèrent énergiquement Marra de toutes parts, avec tant de vivacité et de vigueur que les échelles se trouvèrent dressées contre la muraille, comme par enchantement. Mais si grande était la valeur des païens que, ce jour-là, il fut impossible de les entamer ou de leur nuire.

Voyant leur impuissance et l'inutilité de leurs

133

efforts, les seigneurs chargèrent Raymond, le comte de Saint-Gilles, de faire construire une tour de bois, solide et haute ; cette tour était conçue et bâtie sur quatre roues. A l'étage supérieur, se tenaient plusieurs chevaliers, avec Evrard le Veneur, sonnant bien fort de la trompette. Au pied, étaient des chevaliers revêtus de leur armure, qui amenèrent l'engin près du mur de la ville, contre une de ses tours. En voyant cela, la gent païenne fabriqua aussitôt une machine qui jetait d'énormes pierres sur notre tour, en sorte qu'elle faillit tuer nos chevaliers. L'ennemi jetait aussi sur la tour du feu grégeois [58], dans l'espoir de la brûler et la détruire. Mais Dieu tout-puissant n'a pas voulu la laisser brûler cette fois-là : elle dépassait en hauteur tous les murs de la cité.

Nos chevaliers qui étaient sur la terrasse de l'étage supérieur – Guillaume de Montpellier et bien d'autres – lançaient des pierres énormes sur les défenseurs de la muraille. Ils les atteignaient si adroitement sur leurs boucliers que bouclier et ennemi tombaient ensemble dans la mort, précipités dans la ville. Ainsi faisaient nos combattants. D'autres arboraient sur leurs hampes de glorieux emblèmes [59] et essayaient de tirer à eux les ennemis avec leurs lances et des hameçons de fer. On combattit ainsi jusqu'au soir.

En arrière de notre tour, étaient massés les prêtres, les clercs, revêtus des vêtements sacrés, priant et adjurant Dieu de défendre son peuple, d'exalter la chrétienté, de renverser le paganisme. De l'autre côté de la ville, nos chevaliers livraient sans relâche à l'ennemi un combat quotidien, dressant des échelles contre le mur de la ville. Mais la valeur des païens était telle qu'ils ne parvenaient à faire aucun progrès. Pourtant, Goufiers de Datours, le premier, escalada la muraille par une échelle ; mais aussitôt l'échelle se brisa sous le poids de la multitude qui le suivait. Il réussit cependant à atteindre le sommet avec quelques-uns. D'autres trouvèrent une autre échelle et l'appliquèrent en hâte contre le mur, et il monta par cette échelle une bonne quantité d'hommes, chevaliers et piétons, qui en un clin d'œil se retrouvèrent sur le sommet du mur. Mais les Sarrasins se jetèrent sur eux avec une telle vigueur, du mur et du sol, les criblant de flèches, pointant sur eux leurs lances à bout portant, que beaucoup des nôtres, affolés, se précipitèrent dans le vide.

Pendant tout le temps que ces hommes de grande prudence qui étaient restés sur la muraille souffraient persécution des Turcs, ceux des nôtres qui étaient au pied de notre tour sapèrent la muraille. En s'en apercevant, les Sarrasins furent épouvantés et se réfugièrent dans la cité. Tout cela eut lieu un samedi à la vêprée, au coucher du soleil, le 11 décembre. Bohémond fit ordonner par un interprète aux chefs sarrasins de se rassembler avec leurs femmes, enfants et autres biens, dans un palais situé au-dessus de la porte ; il s'engageait à leur épargner la mort. Tous les nôtres entrèrent dans Marra, et chacun s'appropria ce qu'il trouvait de bon à prendre, dans les maisons et dans les fosses. Le jour venu, partout où l'on découvrait un Turc, mâle ou femelle, on le tuait. Pas un coin de la cité qui fût dépourvu de cadavres de Sarrasins, et c'est à peine si l'on pouvait aller par les rues de la ville sans fouler aux pieds les cadavres. Bohémond enfin fit saisir ceux à qui il avait donné ordre d'entrer dans le palais, et leur enleva tout ce qu'ils avaient : or, argent, autres trésors. Il fit tuer les uns, ordonna de conduire les autres à vendre à Antioche.

Les Francs s'attardèrent à Marra un mois et quatre jours. C'est dans cette ville que mourut l'évêque d'Orange. Il y eut là des nôtres qui manquèrent du nécessaire tant à cause de la longueur de la halte que de la contrainte de la faim. Au-dehors de la ville, en effet, ils n'avaient rien trouvé à prendre. Alors, ils ouvraient les cadavres, parce que, dans leurs ventres, on trouvait des besants cachés. Ou bien, ils en découpaient la chair en morceaux, et ils la faisaient cuire pour la manger [60].

Bohémond ne put faire admettre ses prétentions par le comte de Saint-Gilles et retourna en colère à Antioche. Sans barguigner, le comte Raymond envoya ses légats à Antioche prier le duc Godefroy, le comte de Flandre, Robert le Normand, Bohémond, de venir en personne à Rugia s'entretenir avec lui. Vinrent là tous les seigneurs. Ils tinrent une assemblée pour trouver le moyen de se maintenir dans l'honneur sur la voie du Saint-Sépulcre, pour laquelle ils s'étaient mis en route et étaient arrivés jusque-là. On ne put accorder Bohémond au comte Raymond sans que le comte Raymond remît Antioche à Bohémond [61]. Le comte refusa, au nom de la fidélité qu'il avait jurée à l'empereur. A la fin, les comtes et le duc retournèrent à Antioche avec Bohémond, cependant que le comte Raymond retournait à Marra, où se trouvaient les pèlerins. Il chargea en même temps des chevaliers à lui d'honorer de leur présence, à Antioche, le palais de Cassian et le château qui se trouvait au-dessus de la porte du pont [62].

Voyant qu'aucun des seigneurs ne voulait, à cause de son attitude, reprendre la voie du Saint-Sépulcre, Raymond sortit nu-pieds [63] de Marra le

13 janvier, et il atteignit Capharda, où il resta trois jours. Là le rejoignit le comte de Normandie. Le roi de Césarée avait à maintes reprises fait savoir au comte par ses messagers, à Marra et à Capharda, qu'il voulait vivre en paix avec lui ; il lui donnerait de son bien : il chérirait les pèlerins chrétiens ; il engagerait sa foi à ce que, dans les limites de son empire, ils fussent à l'abri de la plus petite offense, et il se ferait une joie de les ravitailler en chevaux et en provisions de bouche.

Les nôtres partirent et vinrent camper à côté de Césarée, sur le fleuve Farfar. En voyant le camp des Francs établi si près de la ville, le roi de Césarée eut un pincement au cœur, et il ordonna de leur refuser le ravitaillement s'ils ne s'écartaient pas de l'enceinte de la cité. Le lendemain, il envoya avec eux deux Turcs – des messagers à lui – pour leur montrer le gué du fleuve et les conduire à un endroit où ils pourraient trouver du butin. Ils finirent par arriver dans une vallée au pied d'un château fort. Là, ils razzièrent plus de cinq mille bêtes, pas mal de blé, d'autres biens. Grâce à quoi toute la milice du Christ se refit bien. Puis, la garnison se rendit au comte et lui donna des chevaux et de l'or fin, jurant selon sa loi [64] qu'il n'adviendrait aux pèlerins aucun mal. Nous fûmes là cinq jours. Sortis de là, nous parvînmes, joyeux, camper près d'un fort d'Arabes. Le maître du fort sortit et conclut un accord avec le comte.

En sortant de là, nous parvînmes à une cité splendide, regorgeant de biens de toutes sortes, sise dans une vallée. Elle s'appelle Kephalia. En apprenant l'arrivée des Francs, les habitants abandonnèrent la ville, ses jardins pleins de légumes, ses maisons pleines de provisions de bouche, et s'enfuirent. Deux jours plus tard, au sortir de cette ville, nous franchîmes une haute et immense montagne, et entrâmes dans la vallée de Sem, où il y avait à profusion des biens de toute sorte. Nous restâmes là une quinzaine de jours.

A notre portée, se trouvait un château fort où était rassemblée une très grande multitude de païens. Les nôtres l'attaquèrent et l'auraient vaillamment emporté si les Sarrasins n'avaient jeté sur nous d'immenses troupeaux.

Les nôtres firent demi-tour en rapportant à leurs tentes tous les biens du monde [65]. Au petit jour, ils rassemblèrent leurs pavillons et revinrent assiéger le château. Ils avaient l'intention de déployer là les tentes. Mais la gent païenne au complet prit la poudre d'escampette, laissant le château fort vide. En y entrant, les nôtres trouvèrent en abondance du blé, du vin, de la farine, de l'huile, tout ce dont ils avaient besoin. C'est là que, très dévotement, nous célébrâmes la Purification de sainte Marie, et là que vinrent nous trouver des messagers de La Chamelle [66] : le roi de cette cité envoya au comte des chevaux et de l'or, et il s'engagea avec lui à ne maltraiter d'aucune façon les chrétiens, mais au contraire à les chérir et honorer. De son côté, le roi de Tripoli fit savoir au comte qu'il conclurait un pacte loyal et lierait amitié avec lui s'il lui agréait, et lui envoya dix chevaux, quatre mules et de l'or. Mais le comte répondit qu'à aucun prix il ne ferait la paix avec lui, à moins qu'il ne se fît chrétien.

Au sortir de cette bonne vallée, nous parvînmes à une place appelée Archas ; c'était un lundi de la mi-février. Autour de la place, nous déployâmes les tentes. Elle était pleine d'une population innombrable de païens. Ils l'avaient fortifiée à merveille et se défendaient vaillamment. Quatorze de nos chevaliers nous quittèrent alors pour marcher contre Tripoli. Ces quatorze chevaliers tombèrent sur des Turcs – une soixantaine – et quelques autres, qui poussaient devant eux, rassemblés, des hommes et du bétail, en tout plus de quinze cents têtes. Munis du signe de la croix, ils se jetèrent sur eux et en tuèrent six ; ils prirent les six chevaux.

De l'armée du comte Raymond sortirent Raymond Pilet et Raymond, vicomte de Turenne ; ils allèrent attaquer Tortose qu'ils assaillirent vaillamment. Elle était bien défendue par une multitude de païens. Le soir venu, ils se retirèrent dans un coin où ils campèrent. Ils allumèrent des feux de camp innombrables pour faire comme si tout l'ost était là. Les païens, terrifiés, s'enfuirent de nuit, secrètement, abandonnant la cité pleine de toute sorte de biens, qui en outre possède un excellent port en bordure de mer. Le lendemain, les nôtres vinrent pour attaquer de toutes parts la ville et la trouvèrent vide. Ils y entrèrent et y prirent leurs quartiers, jusqu'au siège d'Archas. Il y a à côté une autre ville, appelée Maraclée ; l'émir qui en était le gouverneur fit un pacte avec les nôtres et les introduisit dans la cité avec nos étendards.

Le duc Godefroy, Bohémond et le comte de Flandre vinrent aussi jusqu'à La Liche [67]. Bohémond se sépara d'eux et retourna à Antioche [68].

Eux vinrent assiéger une ville qui s'appelle Gibel. Mais Raymond, le comte de Saint-Gilles, fut informé qu'une innombrable armée de païens se ruait sur nous pour un combat inévitable ; incontinent, il tint conseil avec les siens, à dessein d'appeler les seigneurs qui étaient au siège de Gibel à venir lui porter secours. En

entendant cela, ceux de Gibel traitèrent aussitôt
avec l'émir, faisant la paix avec lui ; ils reçurent
des chevaux et de l'or et quittèrent la ville pour
venir à notre secours. Mais les païens ne vinrent
pas nous attaquer ; aussi les comtes susdits
prirent-ils leurs quartiers au-delà du fleuve et
s'associèrent-ils au siège d'Archas.

Peu de temps après, les nôtres chevauchèrent
contre Tripoli, et ils tombèrent, en dehors de la
cité, sur des Turcs, des Arabes et des Sarrasins,
qu'ils attaquèrent et mirent en fuite. Ils tuèrent
une grande partie des notables de la ville. Le
massacre de païens et l'effusion de sang furent
tels que désormais l'eau qui coulait dans la ville
semblait se déverser rouge dans les citernes. Les
païens en furent en extrême détresse et affliction ; ils étaient désormais si épouvantés qu'aucun d'eux n'osait franchir une porte de la ville.

Un autre jour, les nôtres chevauchèrent au-
delà de Sem et trouvèrent des bœufs, des brebis,
des ânes, beaucoup de bétail, ainsi que des chameaux ; ils razzièrent environ trois mille têtes.
Nous assiégeâmes par ailleurs Archas trois mois
moins un jour, et célébrâmes là la Pâque du Seigneur ; c'était le 10 avril. Notre flotte vint se
rapprocher de nous dans un port pendant toute
la durée du siège, nous fournissant un abondant
approvisionnement en blé, vin, viande, fromage,

orge, huile ; nous fûmes donc en parfaite abondance pendant toute la durée de l'expédition. En ce siège, reçurent heureusement le martyre plusieurs des nôtres, dont Anselme de Ribemont, Guillaume le Picard et plusieurs autres dont les noms m'échappent.

Le roi de Tripoli envoyait souvent des messagers aux seigneurs pour les engager à abandonner la place et à traiter avec lui. Entendant cela, les nôtres – le duc Godefroy, Raymond comte de Saint-Gilles, Robert le Normand, le comte de Flandre –, qui voyaient aussi la nouvelle récolte s'annoncer – à la mi-mars, nous mangions des fèves nouvelles, à la mi-avril, nous avions du blé –, tinrent conseil et déclarèrent qu'il serait excellent d'achever le voyage de Jérusalem avec les fruits nouveaux [69].

Nous quittâmes donc la place et parvînmes à Tripoli le vendredi 13 mai. Nous restâmes là trois jours. Le roi de Tripoli finit par traiter avec les seigneurs. Sur-le-champ, il leur livra plus de trois cents pèlerins qu'il tenait captifs, leur donna quinze mille besants et quinze destriers de grand prix ; il nous ravitailla aussi abondamment en chevaux, ânes et toutes sortes de biens. De quoi fut bien enrichie toute la milice du Christ. Il s'engagea envers les Francs, s'ils arrivaient à gagner le combat que préparait contre eux l'émir de Babylone, et à prendre Jérusalem, à se faire chrétien et à faire reconnaître sa terre par eux. Ainsi fut fait et conclu.

Nous quittâmes la ville un lundi du mois de mai, et, en empruntant un jour et une nuit entiers une route de corniche étroite et difficile, atteignîmes une place appelée Béthélon, puis la ville de Zébar, le long de la mer. Nous y souffrîmes terriblement de la soif. Ainsi épuisés, nous parvînmes à la rivière appelée le Brahim. Puis, pendant la nuit et le jour de l'Ascension du Seigneur, nous franchîmes une montagne par une route très étroite ; nous nous attendions là à tomber sur des ennemis postés en embuscade, mais, Dieu aidant, aucun d'eux n'osa approcher. Des chevaliers nous précédèrent ét ouvrirent la voie devant nous, et nous atteignîmes une cité près de la mer qui s'appelle Beyrouth, d'où nous gagnâmes La Flèche [70], puis Sour [71], et, de Sour, Acre. D'Acre, nous parvînmes à une place appelée Caïffa, puis nous prîmes nos quartiers près de Césarée. Là, nous célébrâmes la Pentecôte ; c'était le 29 mai.

Nous vînmes ensuite à Ramola, que les Sarrasins avaient évacuée de peur des Francs. A côté, se trouvait une vénérable église où l'on a mis à reposer le très précieux corps de saint Georges : c'est là que, du fait des païens perfides, il a subi heureusement le martyre pour le nom du Christ. Là, nos chefs tinrent conseil pour élire un évêque qui gardât et dirigeât l'église. Ils prirent de leur poche pour le fournir en dîmes, le comblèrent d'or, d'argent, de chevaux et autres animaux, pour qu'il pût vivre dévotement et honorablement avec ceux de son entourage. Il demeura là dans la joie.

Quant à nous, dans la liesse et l'exultation, nous atteignîmes Jérusalem ; c'était le mardi 6 juin. Nous l'assiégeâmes de merveilleuse façon. Robert le Normand se plaça au Septentrion ; il était près de l'église du protomartyr [72] saint Étienne, là où il avait été lapidé pour le nom du Christ. A côté de lui, le comte Robert de Flandre. A l'Occident se postèrent le duc Godefroy et Tancrède. Le comte de Saint-Gilles assiégea au Midi, c'est-à-dire sur la colline de Sion, près de l'église de sainte Marie, mère de Dieu, là où le Seigneur avait célébré la Cène avec ses disciples.

Deux jours plus tard, Raymond Pilet, Raymond de Turenne et plusieurs autres des nôtres, voulant aller se battre, se séparèrent de l'armée. Ils tombèrent sur deux cents Arabes. Les soldats du Christ se battirent contre ces incrédules, et, Dieu aidant, en vinrent vaillamment à bout. Ils tuèrent beaucoup d'entre eux et s'emparèrent de trente chevaux.

Le lundi, nous lançons un vigoureux assaut contre Jérusalem. C'est de si merveilleuse façon que, si les échelles avaient été prêtes, la ville tombait en nos mains. Nous avons à tout le moins abattu le petit mur, dressant une échelle contre le grand. Nos chevaliers montèrent par cette échelle, et, avec leurs épées et leurs lances, ils frappaient à bout portant les Sarrasins et autres défenseurs de la cité. Il y eut beaucoup de morts parmi les nôtres, mais davantage encore parmi eux.

Pendant ce siège, nous ne pûmes trouver de pain à acheter pendant environ dix jours, jusqu'à l'arrivée du messager de notre flotte. Nous fûmes aussi accablés d'une soif si intolérable que, dans la terreur et l'épouvante, sur une distance de six milles à la ronde, nous avons bu nos chevaux et autres animaux [73]. La fontaine Siloé, au pied de la colline de Sion, était notre soutien. Mais l'eau se vendait tout de même bien cher parmi nous.

Après l'arrivée du messager de notre flotte, nos seigneurs se concertèrent sur la façon d'envoyer un détachement de chevaliers pour garder dans la fidélité hommes et navires au port de Jaffa. Au point du jour, il sortit cent chevaliers de l'armée de Raymond, comte de Saint-Gilles : il y avait Raymond Pilet, Achard de Montmerle,

146

Guillaume de Sabran. Ils allèrent au port en toute sécurité. Mais trente de ces chevaliers se séparèrent des autres, et ils tombèrent sur sept cents Arabes, Turcs et Sarrasins de l'armée de l'émir. Les soldats du Christ les attaquèrent avec vaillance. Mais ils étaient d'une telle force contre les nôtres qu'ils les encerclèrent de tous côtés et tuèrent Achard de Montmerle avec des piétons – de pauvres gens.

Ils tenaient déjà les nôtres cernés, résignés à la mort, quand un messager vint trouver le gros de l'expédition et dit à Raymond Pilet : « Que fais-tu là avec ces chevaliers ? Voici tous les nôtres en grande détresse du fait des Arabes, des Turcs et des Sarrasins. Peut-être qu'à cette heure ils sont tous morts ! Courez, courez donc à leur secours ! » Ce qu'entendant, les nôtres aussitôt coururent et parvinrent à la hâte jusqu'à eux en combattant. A la vue des soldats du Christ, la gent païenne se divisa en deux colonnes. Mais les nôtres, ayant invoqué le nom du Christ, assaillirent si vivement ces incrédules que chaque chevalier abattit le sien. Voyant qu'ils ne pourraient résister devant la fermeté des Francs, les païens tournèrent les talons. Les nôtres les poursuivirent sur environ quatre milles, tuèrent beaucoup d'entre eux, mais en gardèrent un vivant pour lui extorquer des renseignements. Ils gardèrent aussi cent trois chevaux.

En ce même siège, la soif nous accabla si cruellement que nous en arrivâmes à coudre des peaux de bœufs et de buffles dans lesquelles nous transportions de l'eau sur près de six milles de distance. L'eau que nous fournissaient ces récipients était fétide. Tant l'eau empestée que le pain d'orge nous entretenaient en quotidienne détresse et affliction [74]. A toutes les fontaines et autres points d'eau, les Sarrasins tendaient aux nôtres en se cachant des embuscades, partout les tuant et dépeçant. Ils emmenaient aussi avec eux le bétail dans leurs cavernes et grottes.

C'est alors que nos seigneurs mirent au point le plan d'assaut qui permettrait d'entrer dans Jérusalem y adorer le sépulcre de notre Sauveur. Ils firent faire deux tours de bois et plusieurs autres machines [75]. Le duc Godefroy fit faire la sienne, assortie de machines, et le comte Raymond en fit autant. On alla chercher le bois très loin. Voyant les nôtres faire ces machines, les Sarrasins fortifièrent la cité à merveille, renforçant leurs remparts pendant la nuit.

Repérant l'endroit où la cité fléchissait, nos seigneurs y firent transporter, une nuit de samedi, notre machine et notre tour de bois ; c'était à l'Orient. Au point du jour, ils les dressèrent ; ils ajustèrent et équipèrent la tour les dimanche, lundi et mardi. Cependant, dans la zone sud, le comte de Saint-Gilles mettait au point sa machine.

Sur ces entrefaites, la torture de la soif nous accabla à ce point qu'on ne pouvait, pour un denier, avoir de l'eau pour se désaltérer.

Nuit et jour, le mercredi et le jeudi, nous lançons de toutes parts une prodigieuse attaque. Mais, avant l'assaut, les évêques et les prêtres avaient obtenu, par leurs prédications et exhortations collectives, qu'on célébrât une procession à la gloire de Dieu autour du circuit de Jérusalem, avec accompagnement de prières, aumônes et jeûnes accomplis dans la foi.

Le vendredi, de grand matin, nous attaquons de toutes parts la ville sans aucun succès, et nous étions tous dans la stupeur et une terrible angoisse. Mais, à l'approche de l'heure à laquelle notre Seigneur Jésus-Christ a daigné souffrir pour nous les fourches de la croix, nos chevaliers se battaient vaillamment dans le château placé sous le commandement du duc Godefroy et de son frère, le comte Eustache. C'est alors qu'un de nos chevaliers, nommé Lieutaud, escalada le mur de la ville. Peu après qu'il fut monté, tous les défenseurs de la cité s'enfuirent par les remparts et par la cité. Les nôtres les suivirent et les pourchassèrent, tuant et sabrant à plein corps, jusqu'au temple de Salomon [76]. Là, il y eut un tel carnage que les nôtres enfonçaient les pieds dans le sang jusqu'à la cheville.

Cependant, le comte Raymond, au midi, avait conduit son armée et sa tour jusqu'auprès de la muraille. Mais il y avait un fossé entre le château et la muraille. On proclama que quiconque apporterait trois pierres dans le fossé recevrait un denier. Il fallut pour le combler trois jours et trois nuits. Enfin, le fossé comblé, on amena le château contre la muraille. Ceux qui étaient à l'intérieur de la ville se battaient contre les nôtres de façon prodigieuse, en utilisant le feu et les pierres. A la nouvelle que les Francs étaient dans la ville, le comte s'adressa à ses hommes : « Que tardez-vous ? Voici tous les Français déjà dans la ville ! »

L'émir qui était dans la tour de David se rendit au comte et lui ouvrit la porte où les pèlerins avaient coutume de payer tribut. Une fois entrés dans la cité, nos pèlerins poursuivirent et massacrèrent les Sarrasins jusqu'au temple de Salomon, où ils se rassemblèrent et livrèrent tout le jour aux nôtres un furieux combat. C'était au point que tout le temple ruisselait de leur sang. Enfin, les païens furent réduits. Les nôtres se saisirent dans le temple d'une bonne quantité d'entre eux, mâles et femelles, qu'ils tuèrent ou épargnèrent selon leur bon plaisir. Sur le toit du

150

temple de Salomon était rassemblée une grande multitude de païens des deux sexes, à qui Tancrède et Gaston de Béarn avaient donné leurs étendards.

Bientôt, les Francs coururent par toute la ville, pillant l'or et l'argent, les chevaux et les mulets, les maisons pleines de biens de toutes sortes. Puis, joyeux et pleurant de joie, les nôtres allèrent adorer le sépulcre de notre Sauveur Jésus, et s'acquittèrent envers lui de leur dette capitale.

Le matin suivant, ils escaladèrent avec précaution le toit du temple, se jetèrent sur les Sarrasins, mâles et femelles, les décapitèrent à épée nue. Certains se jetèrent dans le vide du haut du temple. A la vue de ce spectacle, Tancrède fut en grande colère.

Alors les nôtres décidèrent en conseil que chacun ferait des aumônes, avec des prières, pour que Dieu élût celui qu'il voulait voir régner sur les autres et gouverner Jérusalem. On ordonna aussi de jeter hors de la ville, à cause de l'extrême puanteur qu'ils dégageaient, tous les morts sarrasins. La ville était presque entièrement remplie de leurs cadavres, et les Sarrasins vivants traînaient les morts devant les issues des portes, et en faisaient des monceaux hauts comme des maisons. Tels massacres de la gent païenne, nul jamais n'en ouït ni n'en vit. Les bûchers étaient alignés comme des bornes. Personne n'en sait le nombre si ce n'est Dieu, et Dieu seul !

Le comte Raymond fit escorter l'émir et sa suite jusqu'à Ascalon, sains et saufs.

Une semaine après la prise de Jérusalem, on choisit le duc Godefroy comme prince de la cité, pour venir à bout des païens et avoir la garde des chrétiens. De même, on élut patriarche un homme très sage et respectable, nommé Arnoul ; c'était à la Saint-Pierre-ès-Liens. Jérusalem avait été prise par les chrétiens de Dieu un vendredi 15 juillet.

Entre-temps, un envoyé vint trouver Tancrède et le comte Eustache : ils devaient se préparer à aller prendre possession de Naplouse. Ils partirent en emmenant avec eux beaucoup de chevaliers et de piétons et parvinrent à la ville, dont les habitants se rendirent séance tenante.

Puis ce fut le duc qui leur demanda de venir rapidement devant Ascalon : l'émir de Babylone y préparait une attaque. Ils entrèrent en hâte dans la montagne, cherchant des Sarrasins à combattre, et arrivèrent à Césarée. Puis, longeant la mer, ils atteignirent Ramola, où ils trouvèrent quantité d'Arabes, venus là avant la bataille en éclaireurs. Les nôtres les poursuivirent et en capturèrent plusieurs, qui donnèrent toutes sortes de renseignements militaires, disant où ils étaient, combien ils étaient, où ils se disposaient à attaquer les chrétiens. En entendant cela, Tancrède envoya aussitôt à Jérusalem un message au duc Godefroy, au patriarche, à tous les princes : « Sachez, disait-il, que la bataille nous attend à Ascalon ; venez vite avec toute la force dont vous pourrez disposer. »

Alors, le duc donna ordre à tous de s'ébranler, afin de se préparer à partir pour Ascalon dans la foi au-devant de nos ennemis. Lui-même quitta Jérusalem le mardi, en compagnie du patriarche et du comte Robert de Flandre ; l'évêque de Martirano [75] était avec eux.

Mais le comte de Saint-Gilles et Robert le Normand dirent qu'ils n'iraient pas, à moins d'être sûrs que la bataille aurait bien lieu. Ils donnèrent ordre à leurs chevaliers d'aller de l'avant pour voir s'il y avait vraiment bataille, et de revenir au plus vite, pour qu'eux-mêmes fussent bientôt prêts à partir. Ceux-ci allèrent, virent les osts en présence et revinrent en hâte rapporter qu'ils avaient vu, de leurs yeux vu. Aussitôt, le duc prit à part l'évêque de Martirano, et l'envoya dire aux chevaliers qui se trouvaient encore à Jérusalem de se préparer et de venir à la bataille.

Le mercredi, ces princes sortirent de Jérusalem et marchèrent au combat. L'évêque de Martirano en revenait, rapportant un message au patriarche et au duc, quand les Sarrasins sortirent à son devant, le capturèrent et l'emmenèrent.

Pierre l'Ermite resta à Jérusalem pour organiser et prescrire aux Grecs et Latins et aux clercs la célébration d'une procession à Dieu, avec prières et aumônes, pour que Dieu donnât la victoire à son peuple. Clercs et prêtres, revêtus des vêtements sacrés, conduisirent la procession au temple du Seigneur, chantant messes et prières, pour qu'il défendît son peuple.

Enfin le patriarche, les évêques et autres seigneurs se rassemblèrent au bord de la rivière qui se trouve en deçà d'Ascalon. Là, ils razzièrent une multitude d'animaux : bœufs, chameaux, brebis, toutes sortes de biens. Survinrent des Arabes − trois cents environ ; les nôtres se jetèrent sur eux et se saisirent d'eux, poursuivant les autres jusqu'à leur armée. Le soir venu, le patriarche fit proclamer par tout l'ost que le lendemain, de grand matin, ils devaient être prêts à la bataille ; il excommunia quiconque se livrerait au moindre butin avant la fin du combat, mais ajouta que, le combat terminé, ils pourraient, dans la joie du succès, retourner prendre tout ce que le Seigneur leur avait prédestiné.

Ils entrèrent au point du jour dans une magnifique vallée, le long du rivage de la mer. C'est là qu'ils ordonnèrent leurs corps de bataille. Le duc disposa le sien, le comte de Normandie le sien, le comte de Saint-Gilles le sien, le comte de Flandre le sien, le comte Eustache le sien, Tancrède et Gaston le leur. Ils disposèrent aussi des piétons et des archers pour précéder les chevaliers. Quand tout fut ainsi en belle ordonnance, ils se mirent aussitôt à combattre au nom du Seigneur Jésus-Christ.

A gauche, était le duc Godefroy avec son corps. Le comte de Saint-Gilles chevaucha le long de la mer, à droite. Le comte de Normandie, le comte de Flandre, Tancrède et tous les autres chevauchaient au milieu. Ainsi disposés, les nôtres commencèrent à avancer à pas lents. Les païens se tenaient prêts au combat. Chacun d'eux avait sa gourde suspendue à son cou, ce qui lui permettait de boire en nous poursuivant, mais, grâce à Dieu, ils n'en eurent pas loisir.

Le comte de Normandie aperçut l'étendard de l'émir orné d'une pomme d'or, au sommet d'une lance plaquée d'argent. Il se précipita avec fougue sur le porte-étendard et le blessa mortellement. D'un autre côté, le comte de Flandre attaqua avec mordant. Tancrède, pour sa part, se jeta au beau milieu des tentes ennemies. Ce que voyant, les païens prirent incontinent la fuite. Innombrable était leur multitude ; personne n'en sait le nombre, si ce n'est Dieu, et Dieu seul. Les combats étaient vertigineux. Mais nous avions la vertu divine pour compagne, si grande, si forte, que sur-le-champ nous les vainquîmes.

Les ennemis de Dieu restaient aveuglés, stupéfaits : ils voyaient les soldats du Christ, les yeux ouverts mais sans rien voir, n'osant plus se dresser contre les chrétiens, terrifiés par la puissance de Dieu. Dans leur peur, ils grimpaient sur les arbres en espérant s'y cacher, mais les nôtres les précipitaient à terre, les criblant de flèches, les tuant à la lance ou à l'épée. D'autres se couchaient sur le sol, n'osant rester debout face à nous. Les nôtres les découpaient comme on découpe les animaux à l'abattoir. Le comte de Saint-Gilles, près de la mer, en massacra une quantité sans nombre. Certains se jetaient dans la mer. D'autres fuyaient en tous sens.

L'émir arriva devant Ascalon dolent et affligé, et s'écria en larmes : « Ô esprits des dieux ! Qui jamais vit ou ouït telle aventure ? Une telle puissance, une telle force, une telle milice, que n'avait jamais vaincue aucune nation, voici qu'elle vient de se faire battre par le microscopique peuple chrétien ! Hélas, tristesse et douleur sur moi ! Que dirai-je de plus ?

J'ai été vaincu par un peuple de mendiants, de lâches, de guenilleux, qui n'a que sac et besace. Il poursuit maintenant le peuple égyptien, qui lui a si souvent prodigué ses aumônes, quand il mendiait jadis à travers toute notre patrie. J'ai amené ici comme mercenaires deux cent mille combattants, et je les vois, lâchant le frein de leur monture, s'enfuir par la route de Babylone, sans oser se retourner contre la gent française. Je le jure par Mahomet et par la majesté de tous nos dieux, c'est la dernière fois que je prends des mercenaires comme combattants, puisque me voilà chassé par un peuple étranger. J'avais apporté toutes espèces d'armes et toutes sortes d'engins pour les assiéger dans Jérusalem, et ce sont eux qui m'ont attaqué les premiers, en me devançant de deux jours de marche! Hélas, hélas, que dirai-je de plus? Me voilà à tout jamais déshonoré sur la terre de Babylone! »

Les nôtres reçurent son étendard, que le comte de Normandie acheta vingt marcs d'argent et donna au patriarche en l'honneur de Dieu et du Saint-Sépulcre. Un quidam acheta son épée soixante besants.

Ainsi furent défaits tous nos ennemis avec l'assentiment de Dieu. Tous les navires des contrées païennes étaient là. Les équipages, en voyant l'émir en fuite avec son armée, incontinent hissèrent les voiles et prirent le large.

Les nôtres retournèrent au camp de l'ennemi et se saisirent d'un butin incalculable : or, argent, monceaux de toutes sortes de biens, animaux de toutes espèces, armes de toutes catégories. Ils emportèrent ce qui leur plut, mirent le feu au reste.

Les nôtres rentrèrent à Jérusalem, rapportant toutes sortes de biens qui leur étaient nécessaires. Ce combat eut lieu le 12 août, dans la grande bonté de Notre Seigneur Jésus-Christ, à qui sont honneur et gloire, maintenant et toujours et pour les siècles des siècles. Dise tout esprit : Amen !

INDEX
DES PRINCIPAUX CHEFS FRANCS

BOHÉMOND, LE BAROUDEUR (1057-1111), prince de Calabre et de Tarente.

C'est le fils de Robert Guiscard (1015-1085), qui, à la suite de son père, Tancrède d'Hauteville, avait jadis quitté Coutances, en Normandie, pour arracher l'Italie aux Byzantins. Une fois maître de la Pouille et de la Calabre, Robert Guiscard avait pourchassé l'empereur d'Orient jusque sur ses propres terres, en Macédoine et en Thessalie. C'est à ses côtés que Bohémond fit ses premières armes contre Alexis, en 1082. Il fut vaincu par Alexis à Larissa.

La première croisade est pour Bohémond l'occasion secrète de se mesurer à nouveau avec Alexis, l'Anonyme montre bien avec quelle animosité.

Après la croisade, en 1100, Bohémond passe deux ans et demi comme prisonnier de guerre dans les geôles turques, pendant que son neveu Tancrède gouverne Antioche à sa place. Sitôt libéré, il reprend la lutte mais subit, de la part des infidèles, en 1104, la sévère défaite d'Harran.

Il rentre en Italie où il lève une armée, décidé à repartir cette fois contre Alexis, jugé par lui complice de l'Islam. En septembre 1105, il vient demander son appui au roi de France, Philippe Ier, qui lui donne sa fille Constance en mariage.

En octobre 1107, Bohémond débarque en Épire avec son armée, mais il est rapidement vaincu par les Byzantins, et Alexis lui impose, en septembre 1108, un traité draconien, avec renonciation à presque tous ses droits sur l'Orient. Cependant, Bohémond reste maître d'Antioche, mais Alexis y rétablit un patriarche orthodoxe nommé par lui.

Sans doute désespéré dans son orgueil, Bohémond rentre en Italie, et l'on n'entend plus parler de lui, au point que la date même de sa mort est incertaine.

On lira dans le Moyen Age de Michelet (Laffont « Bouquins », p. 264) le portrait de Bohémond par Anne Comnène dans l'*Alexiade* ; il y a là le même sourire narquois que chez l'Anonyme.

GODEFROY DE BOUILLON, L'ASCÈTE (1061-1100)

Fils du comte Eustache de Boulogne, Godefroy IV est duc de Basse-Lorraine, terre du Saint-Empire romain germanique, et c'est au service de l'empereur d'Allemagne qu'il fait ses premières armes contre le pape, en 1080.

Mais il a une ascendance française — il compte Charlemagne parmi ses ancêtres —, et le château de Bouillon est sis en Wallonie, terre française.

Il part pour la croisade avec exaltation et sans pensée de retour, vendant ses terres, à son départ, à l'évêque de Liège.

Il refuse en 1099 le titre de roi de Jérusalem, ne voulant pas « porter couronne d'or là où le Christ avait porté couronne d'épines ». Son titre à Jérusalem est celui d'« avoué du Saint-Sépulcre ».

Combattant d'élite, chef de guerre effacé, il semble plus idéaliste que les autres chefs francs. Il n'en a pas moins entamé, à la tête de l'État franc de Jérusalem, une œuvre de colonisation au bon sens du terme, fortifiant Jaffa, rétablissant le commerce avec les Arabes, entretenant avec eux des relations humaines.

Il fut tué d'une flèche au siège de Jaffa, le 18 juillet 1100.

« Cet homme heroïque était d'une pureté singulière. Il ne se maria point, et mourut vierge à trente-huit ans ». (Michelet, ouvrage cité, p. 265).

RAYMOND DE SAINT-GILLES, LE PUISSANT SEIGNEUR (1042-1105)

Raymond IV de Saint-Gilles, comte de Toulouse et marquis de Provence, est à la fois très puissant et très riche, et très pieux, sans être vraiment ascète.

Dans sa jeunesse, il a répondu à l'appel du pape Alexandre II en partant à la *Reconquista* de l'Espagne sur les musulmans. C'était pour lui un prélude à la croisade.

Il répond le premier des seigneurs à l'appel d'Urbain II, espérant, mais en vain, obtenir de lui le commandement général de l'expédition.

Aussitôt en Orient, il se distingue à l'égard d'Alexis par un mélange de fermeté – il refuse de lui prêter serment d'allégeance, à la différence de Bohémond – et de sympathie : il entretient jusqu'à la fin avec Byzance d'excellentes relations ; Anne Comnène, méprisante à l'égard de l'ensemble des croisés, fait grand cas de celui qu'elle appelle « Isangélès ».

En même temps que bon politique, c'est un

chef de guerre beaucoup plus inventif que les autres : dans la *Geste* on le voit à l'œuvre à Nicée, à Albara, à Marra.

C'est lui qui force les autres barons, en janvier 1099, à reprendre la route de Jérusalem.

Pourtant, cet homme exceptionnel doit céder Antioche à Bohémond et le gouvernement de Jérusalem à Godefroy.

Après la croisade, il se rabat sur le Liban, s'empare de plusieurs villes dont Tortose. Sa Terre promise, c'est Tripoli. Il n'y entrera pas : il meurt le 28 février 1105 dans la forteresse du Mont-Pèlerin qu'il s'est fait bâtir sur la montagne en face, à trois kilomètres.

PIERRE L'ERMITE (1050-1115)

Ce petit moine picard sans ambition terrestre est en parfait contraste avec les hauts barons. C'est pourtant en lui qu'on a longtemps vu le moteur spirituel de la croisade, et c'est incontestablement lui qui, dès l'appel d'Urbain II, a prêché la croisade auprès des simples gens ; il l'a prêchée en Berry, en Orléanais, en Champagne, en Lorraine, et c'est à la suite de sa prédication que la croisade dite populaire s'est, la première, engagée sur les routes.

On l'appelait Pierre à la Coule, à cause de sa robe de bure à capuche, ou encore Petit-Pierre. Il subjuguait par son austérité – il se nourrissait de pain –, et par la ferveur brûlante de sa prédication. On arrachait les poils de son petit âne pour s'en faire des reliques.

Il n'était pas fait pour commander, d'où le désordre de la croisade populaire. Comment supporta-t-il l'affreux massacre des siens par les Turcs à Civitot ? Nul ne le sait, sinon Dieu et Dieu seul, mais le fait est qu'ensuite il déserta. Tant d'horreurs des deux parts avaient-elles éveillé en lui l'âme d'un objecteur de conscience ?

Après la guerre, il rentra au pays. Il fonda en Belgique le monastère de Neufmoutiers.

DOCUMENT ARABE SUR
L'INVENTION DE LA SAINTE-LANCE

Témoignage d'Ibn al-Athir, historien arabe du XIIe siècle (dans *Les Croisades vues par les Arabes,* Amin Maalouf, Jean-Claude Lattès, 1983).

« Parmi les Franj, il y avait Bohémond, leur chef à tous, mais il y avait aussi un moine extrêmement rusé qui leur assura qu'une lance du Messie, paix sur Lui, était enterrée dans le Koussyan, un grand édifice d'Antioche. Il leur dit : " Si vous la trouvez, vous vaincrez ; sinon, c'est la mort certaine. " Auparavant, il avait enterré une lance dans le sol du Koussyan et effacé toutes les traces. Il leur ordonna de jeûner et de faire pénitence pendant trois jours ; le quatrième, il les fit entrer dans l'édifice avec leurs valets et leurs ouvriers, qui creusèrent partout et trouvèrent la lance. Alors, le moine s'écria : " Réjouissez-vous, car la victoire est certaine ! " Le cinquième jour, ils sortirent par la porte de la ville en petits groupes de cinq ou six. Les musulmans dirent à Karbouka (= Courbaram) : " Nous devrions nous mettre près de la porte et abattre tous ceux qui sortent. C'est facile puisqu'ils sont dispersés ! " Mais il répondit : " Non ! Attendez qu'ils soient tous dehors, et nous les tuerons jusqu'au dernier ! " »

DOCUMENT ARABE SUR
LES ACTES DE CANNIBALISME
DES FRANCS A MARRA

(Dans *Les Croisades vues par les Arabes,* Amin Maalouf, Jean-Claude Lattès, 1983).

« A Maara, les nôtres faisaient bouillir des païens adultes dans les marmites, ils fixaient les enfants sur des broches et les dévoraient grillés. » Cet aveu du chroniqueur franc Raoul de Caen, les habitants des localités proches de Maara ne le liront pas, mais jusqu'à la fin de leur vie ils se rappelleront ce qu'ils ont vu et entendu. Car le souvenir de ces atrocités, propagé par les poètes locaux ainsi que par la tradition orale, fixera dans les esprits une image des Franj difficile à effacer. Le chroniqueur Oussama Ibn Mounqidh, né trois ans avant ces événements dans la ville voisine de Chayzar, écrira un jour :

« Tous ceux qui se sont renseignés sur les Franj ont vu en eux des bêtes qui ont la supériorité du courage et de l'ardeur au combat mais aucune autre, de même que les animaux ont la supériorité de la force et de l'agression. »

Un jugement sans complaisance qui résume bien l'impression produite par les Franj à leur arrivée en Syrie : un mélange de crainte et de mépris, bien compréhensible de la part d'une nation arabe très supérieure par la culture, mais qui a perdu toute combativité. Jamais les Turcs n'oublieront le cannibalisme des Occidentaux. A travers toute leur littérature épique, les Franj sont invariablement décrits comme des anthropophages.

Notes

1. Matthieu, 16, 24 ; Marc, 8, 34 ; Luc, 9, 23.
2. Ancien abbé de Cluny, Eudes de Châtillon a succédé en 1085 à Grégoire VII. En appelant à la croisade de Clermont, ce pape d'origine française donne à la France le rôle de « fille aînée de l'Église ».
3. *Actes des Apôtres*, 9, 16.
4. *Timothée*, 1, 8 et Luc, 21, 15.
5. Matthieu, 15, 12, et *Colossiens*, 3, 24.
6. « Longobards » : habitants de l'Italie méridionale.
7. « Le Bras », c'est le Bras de Saint-Georges, c'est-à-dire le Bosphore. Le passer, c'est passer d'Europe en Asie mineure.
8. « Romanie » ou sultanat de Roum : ce terme désigne l'Asie mineure pour les Turcs, tout l'Empire byzantin pour les Grecs.
9. Au nord-est de la Perse : Iran oriental, capitale Nishâpûr. En fait, il semble qu'ici le mot soit employé de façon « assez vague » (L. Bréhier, ouvrage cité, p. 11, n. 1) pour désigner le fin fond de la Turquie.
10. Anti-byzantinisme patent contredit par Albert d'Aix, selon qui Alexis fit traverser le Bras à des troupes à lui, chargées d'aller à Civitot récupérer les survivants du massacre.
11. En Slavonie.
12. Adhémar de Mordeil, représentant du pape dans l'expédition.

13. Hugues de Vermandois, frère du roi de France, Philippe Ier.

14. Aujourd'hui Durazzo. La place était détenue par l'empereur Alexis.

15. En grec Τουρκόπουλοι, « fils de Turcs » : mercenaires au service de Byzance.

16. En grec Πατξινάκοι autres mercenaires au service de Byzance, originaires des bords de la mer Noire.

17. Roger Ier, comte de Sicile, oncle de Bohémond.

18. Tancrède est neveu de Bohémond par sa mère Emma.

19. Il me semble qu'il s'agit des chefs francs plutôt que des « hauts fonctionnaires qui formaient le conseil de l'empereur » (L. Bréhier).

20. Il s'agit de l'hommage au sens féodal du terme, qui ferait du comte de Saint-Gilles l'« homme », c'est-à-dire le vassal d'Alexis.

21. Ceux de la croisade populaire.

22. Sur l'Oronte.

23. L'Anonyme applique ici à Bohémond une métaphore que les premiers chrétiens, saint Paul (ex. : *Corinthiens* I, 9, 24-27), saint Ambroise, saint Augustin, appliquent plus volontiers aux martyrs. Déjà chez Sénèque, la recherche de la perfection morale est souvent assimilée à une lutte d'athlète.

24. Il s'agit de la « colère de perdition » de Dieu chez saint Paul, *Romains* IX, 22.

25. L'auteur semble désigner ainsi une région du sud-ouest d'Antioche où, quelques mois plus tard, p. 50, Tancrède sera affecté à la garde d'un château fort.

26. Tatikios, général de l'armée byzantine, représentant de l'empereur Alexis auprès des Francs.

27. Cf. note 23.

28. Il s'agit d'un étendard écarlate à pointes flottantes.

29. Al-Afdhal, vizir du Caire (Arménien converti à l'islam) : les Égyptiens, des Arabes, ont des velléités d'entente avec les Francs aux dépens des Turcs. Le projet n'aboutira pas.

30. « Mahomerie » : mosquée. Cf. V. Hugo, *Notre-Dame de Paris*, 1832, p. 309 : « la grande Mahomerie de Cordoue ».

31. Des navires génois et anglais sont arrivés là au secours des Francs.

32. L'auteur écrit donc étant encore « sur les lieux », sans doute à Antioche après la prise de la ville.

33. Firouz.

34. Il paraît que Firouz était mû par le dépit amoureux : un officier turc, son collègue, venait de lui voler sa femme.

35. Firouz, désigné ironiquement.

36. Firouz parle grec, comme beaucoup de Turcs instruits.

37. Yaghi-Siyăn, émir syrien d'Antioche.

38. « casal », « kasal » ou « kasel » : village. Cf. Joinville, *Histoire de Saint Louis*, 76.

39. Kurbuqa ou Kerbôga, émir turc de Mossoul.

40. Schems-ed-daoula.

41. L'Oronte et un affluent de l'Oronte.

42. *Psaumes*, 67, 31 et 78, 6 ; *Romains*, IX, 8 ; *Galates*, IV, 5 ; *Romains*, VIII, 17 ; *Deutéronome*, XI, 24-25 ; *Josué*, I, 4-5.

43. *Exode*, XX, 11.

44. On les appela « les funambules », de *funis*, en latin « corde ».

45. Verset et répons sont empruntés au *Psaume* 47. Pratique de caractère pénitentiel.

46. Ou Philomelium.

47. Demi-frère : Guy était fils de la seconde femme de Robert Guiscard. Il avait trahi son père en passant à Byzance, d'où sa présence auprès d'Alexis.

48. Les Arméniens, en particulier, passaient pour des efféminés.

49. Par Courbaram, au début de la bataille.

50. Pour se protéger.

51. De la sorte, Bohémond est en droit de garder Antioche : cf. p. 52.

52. En Syrie.

53. Le 1er août (1098).

54. La mosquée de la ville.

55. C'est la cathédrale d'Antioche.

56. L'Oronte.

57. Négligence : on attendrait « le comte ».

58. Il s'agit d'un liquide enflammé à base de pétrole – déjà ! – lancé dans des tubes de cuivre.

59. Pennons et gonfanons fixés aux lances.

60. Cf. le document arabe sur le cannibalisme des Francs à Marra.

61. Il s'agit du palais de Cassian et de la porte de la Mahomerie, occupés par les hommes du comte de Toulouse.

62. C'est le signe que le comte de Saint-Gilles ne cède pas à Bohémond.

63. Symbole d'humilité du pèlerin.

64. Sans doute sur le Coran.

65. C'est-à-dire le bétail jeté devant eux en appât par les Sarrasins.

66. La ville d'Homs, anciennement Émèse.

67. Ville de Latakieh, anciennement Laodicée.

68. Il ne sera plus question de Bohémond, qu'apparemment le narrateur quitte pour marcher sur Jérusalem, où il se battra sous le commandement de Godefroy de Bouillon.

69. L'achèvement de la «juste guerre» est comme une moisson. Charles Péguy, qui aurait fait un si bon croisé, renouera avec ce symbolisme en écrivant :
« Heureux les épis mûrs et les blés moissonnés. »

70. Saïda, Sidon, La Sagette.

71. Tyr.

72. Terme courant dans l'Église orthodoxe.

73. Cf. p. 3 : dans Exerogorgo, les Francs ont déjà « bu (le sang de) leurs chevaux ». L'expression est brutale dans sa brièveté, mais conforme à l'usage de désigner le contenu par le contenant : on « boit un verre ».

74. L'auteur suggère avec discrétion la diarrhée, mal des croisés parmi tant d'autres.

75. Notamment des catapultes, appelées alors « mangonneaux », et des béliers.

76. Devenu mosquée d'Omar.

77. En Italie méridionale.

TABLE

ACHEVÉ D'IMPRIMER
EN AVRIL 1992
SUR LES PRESSES DE
L'IMPRIMERIE HÉRISSEY
A ÉVREUX (EURE)

Dépôt légal : avril 1992
N° d'édition : 0137
N° d'impression : 57647
Imprimé en France